A1

Zénith
Méthode de français

Cahier d'activités

REINE MIMRAN - SYLVIE POISSON-QUINTON

1

CLE
INTERNATIONAL

Direction de la production éditoriale : Béatrice Rego

Marketing : Thierry Lucas

Édition : Catherine Jardin

Couverture : Miz'enpage, Lucia Jaime

Mise en pages : Domino

Illustrations : Oscar Fernisa Fernández et Esteban Ratti

Recherche iconographique : Clémence Zagorski

Crédits photos : p. 9 g : ph © HANSEN PAL/THE TIMES/SIPA – p. 9 dt : ph © HUSSEIN SAMIR/SIPA –
p. 16 : ph © Keith Mayhew/LANDMARK MEDIA/VISUAL Press Agency – p. 19 ht g : 1. ph © BENAROCH/SIPA –
p. 19 ht dt : 2. ph © HUSSEIN SAMIR/SIPA – p. 19 B g : 3. ph © NIKO/NIVIERE/LE FLOCH/SIPA – p. 19 B dt : 4. ph
© GHNASSIA ANTHONY/SIPA – p. 46 : ph © akg-images – p. 49 : ph © SIPA – p. 57 : ph © Selva/Leemage –
p. 57 : ph © UNIVERSAL PHOTO/SIPA – p. 58 : ph Collection Kharbine-Tapabor – p. 60 : ph © VILLARD/NIVIERE/SIPA –
p. 64 : D.R.

sommaire

Bonjour
Je m'appelle...

Vocabulaire

• Des noms
une adresse (f.)
un arobase (m.)
une baguette (f.)
l'économie (f.)
un étudiant (m.)/une étudiante (f.)
un informaticien (m.)/une informaticienne (f.)
un journaliste (m.)/ une journaliste (f.)
le judo (m.)
un point (m.)
un professeur (m.)/une professeur (f.)
un restaurant (m.)
une rue (f.)
un téléphone (m.)
un touriste (m.)/une touriste (f.)

• Des pronoms
je, tu, vous, il, elle
moi, toi, vous, lui, elle

• Des adjectifs
allemand/allemande
américain/américaine
anglais/anglaise
chinois/chinoise
espagnol/espagnole
français/française
intéressant/intéressante
italien/italienne
japonais/japonaise
sénégalais/sénégalaise
suisse/suisse
turc/turque
joli/jolie

• Des verbes
s'appeler
connaître
être
habiter (à)
parler
travailler

• Des mots invariables
aussi
bien
comment ?
dans
et
ici
mais
oui
bien sûr
non
pas du tout
très
un peu

• Pour communiquer
Allô !
Au revoir
Bonjour
Bravo !
Ça va ? Ça va !
C'est toi ? Oui, c'est moi !
Désolé(e) !
Merci, merci beaucoup
Salut (*familier*)
S'il vous plaît
Super !

• Et vous ?

Nom : ....

Prénom : ....

Adresse : ....

....

....

Nationalité : ....

Langues parlées : ....

....

OBJECTIFS

- Se présenter (le nom, le prénom, la nationalité, l'adresse, la profession...)
- Saluer
- Demander quelque chose, remercier, s'excuser
- Poser une question sur l'identité de quelqu'un

Salutations

Écoutez

1 Écoutez et cochez ce que vous entendez.

1. ❑ a) Allô, Tom ? ❑ b) Au revoir, Tom.

2. ❑ a) Bonjour, Nicolas. ❑ b) Bonjour, madame.

3. ❑ a) Ça va, ça va.... ❑ b) Ça va très bien.

4. ❑ a) Allô, c'est moi. ❑ b) Allô, allô. Ça va ?

2 Écoutez et complétez.

– .... C'est Tom.

– Ah, Tom ! Comment .... ?

– Très bien, ... Et .... ?

– Ça va.

Vocabulaire

3 C'est un homme ou c'est une femme ?

Nicolas, Thomas, Émilie, Julie, Steve, Claire, François, Marine, Romain, Sophie, Marguerite, Alain, Laura, Guillaume

Homme	Femme

4 Complétez.

a) _ E _ _ I

b) M _ _ A _ E

c) C _ _ M _ N T

d) _ O _ S _ E _ R

e) B _ _ J _ _ R

f) B _ G _ E _ TE

5 Complétez avec un mot.

a) s'il .... plaît

b) .... revoir

c) ça .... bien ?

6 Écrivez.

un ....

un ....

une ....

un ....

une *banane*

Grammaire

7 Mettez dans l'ordre.

a) va – bien – très – Ça → ....

b) plaît – baguette – s'il – Une – vous → ....

8 Mettez le dialogue dans l'ordre. Écrivez.

a) Voilà.
b) Bonjour, madame.
c) Merci.
d) Une baguette, s'il vous plaît.
e) Au revoir, monsieur.
f) Bonjour, monsieur.
g) Au revoir, madame.

→ – Bonjour, madame.

– ....

– ....

– ....

– ....

– ....

– Au revoir, monsieur.

Moi, je suis français

Écoutez

1 Écoutez et cochez ce que vous entendez.

1. ❏ **a)** Je suis journaliste.

❏ **b)** Je suis japonais.

2. ❏ **a)** Je suis professeur à Genève.

❏ **b)** Vous êtes professeur à Genève ?

3. ❏ **a)** Pardon, monsieur. Excusez-moi.

❏ **b)** Oh, excusez-moi. Pardon !

4. ❏ **a)** Vous travaillez à Paris ?

❏ **b)** Je travaille à Paris.

2 Écoutez et complétez avec un point (.), un point d'interrogation (?) ou un point d'exclamation (!).

a) Ça va ....

d) Vous êtes française ....

b) Ça va ....

e) Vous êtes française ....

c) Ça va ....

Vocabulaire

3 Cochez le mot de même sens.

❏ **a)** merci

Excusez-moi
❏ **b)** voilà

❏ **c)** pardon

4 Reliez.

Paris •	• la Turquie •	• japonais
Tokyo •	• la France •	• suisse
Genève •	• la Suisse •	• américain
Dakar •	• les États-Unis •	• turc
Istanbul •	• le Japon •	• sénégalais
San Francisco •	• le Sénégal •	• français

5 Barrez l'intrus.

a) japonais – français – suisse – pardon – turc – sénégalais – américain

b) professeur – informaticien – journaliste – économiste – merci

Écrivez

6 Bonjour, c'est moi ! Complétez.

Bonjour. Je suis ....,

je suis ....,

je suis acteur de cinéma.

Je m'appelle ....,

je suis ....

7 Complétez.

a) Elle est S_N_G_L_I_E.

b) Moi, je suis J__O__A__S.

c) Elle est P_OF_SS__R à Berlin.

d) Vous êtes S__S_E ?

e) Non, je suis _R_NÇ__S.

8 Complétez avec *C'est - Il est - Elle est.*

a) .... toi, Claire ?

b) Non, ... Noriko !

c) .... japonaise.

d) .... étudiante à Osaka.

e) – Et Goran ?

– .... journaliste à Istanbul.

Grammaire

9 Faites deux colonnes : Masculin / Féminin.

française – japonais – sénégalaise – turque – anglais – français – suisse – turc – japonaise – sénégalais – anglaise – suisse

Masculin	Féminin
....	....
....	....
....	....
....	....
suisse	suisse

10 Complétez avec les verbes *être* ou *travailler.*

a) Je .... turc et je .... à Istanbul.

b) Vous .... professeur d'économie ? Non, je .... journaliste.

c) Moi, je .... à New York, je .... informaticien.

11 Mettez la phrase dans l'ordre.

Je – français – travaille – suis – et – à – Strasbourg – je

→ Je ....

....

Toi aussi, tu connais Marion Cotillard ?

Écoutez

1 Écoutez et cochez ce que vous entendez.

1. ☐ **a)** C'est intéressant ?   ☐ **b)** C'est très intéressant.
2. ☐ **a)** Je connais bien le Canada.   ☐ **b)** Julie habite au Canada.
3. ☐ **a)** Moi, j'habite à Paris.   ☐ **b)** J'habite aussi à Paris.
4. ☐ **a)** Tu parles anglais ?   ☐ **b)** Vous parlez anglais ?

2 Écoutez et complétez.

a) Tu .... française ?

b) Non, je .... américaine. Et .... ?

c) Moi, je suis ....

d) Tu .... à Paris ?

e) Oui. Je suis .... à Paris. Toi .... ?

f) Non, moi, je .... dans un restaurant.

3 Écoutez et complétez le nom.

Bonjour, je suis Ana Maria H__ __N__ N__ E Z et j'habite 34, rue Roger Blin.__ __L__ .

4 Écoutez et corrigez les trois erreurs.

a) Bonjour, je m'appelle Karen, je suis française et j'habite à Berlin.

....

b) Moi, je suis journaliste à Genève. Je suis suisse. Je parle français et allemand.

....

c) Je connais bien la Suisse. J'habite aussi à Genève. Je suis étudiante en philosophie.

....

Vocabulaire

5 Entourez la bonne réponse.

a) – Je voudrais une baguette, s'il vous plaît.   – Oui, voilà.   – Oui, merci.   – Non, pas du tout.

b) – Vous parlez anglais ?   – Oui, très bien.   – Au revoir.   – Allô !

c) – Montréal est au Canada, n'est-ce pas ?   – Oui, merci.   – Oui, bien sûr.   – Excusez-moi.

d) – Oh, pardon, madame, excusez-moi !   – Je vous en prie.   – Bien sûr.   – Tiens.

6 Complétez avec les lettres qui manquent.

a) C'est très INTÉRE __ __ AN __ !

b) C'est un RES __ AU __ ANT.

c) Je suis IN __ O __ MA __ IC __ EN.

d) Et moi, je suis professeur d'É __ O __ O __ IE.

7 Complétez avec *aussi - bien - dans - et - ici.*

a) Bonjour, vous habitez .... ?

b) Je vais très ...., merci.

c) Il travaille .... un restaurant.

d) Voilà Marion .... Nicolas.

e) Vous habitez à Genève ? Moi ....

Écrivez

8 Présentations

A

Nom : Dubourg
Prénom : Lisa
Nationalité : française
Étudiante
5, avenue de la République, 75011 Paris
Langues : français, anglais, espagnol

→ Je suis ....

....

B

Nom : Da Silva
Prénom : Antonio
Nationalité : suisse
Professeur
47, Seesstrasse, Zürich
Langues : allemand, anglais, portugais, espagnol, français

→ Je suis ....

....

Grammaire

9 Conjuguez. Attention à la phrase *e)* !

➤ *Voir les tableaux de conjugaison du livre de l'élève, p. 155 à 158.*

a) Tu .... à Lyon ou à Marseille ? (*habiter*)

b) Vous .... dans un restaurant ? (*travailler*)

c) Tu .... le restaurant *Chez Benoît* ? (*connaître*)

d) Vous .... professeur de musique ? (*être*)

e) Vous .... Julie ou Jenny ? (*s'appeler*)

f) Tu ....très bien français ! (*parler*)

g) Oui, bien sûr, je .... française ! (*être*)

h) Ah bon ! Et vous aussi, vous .... française ? (*être*)

10 Reliez.

a) Francesca parle très bien •   • italienne

b) Elle habite à •   • un restaurant

c) Elle est •   • Philippe et Jane

d) Elle travaille dans •   • Rome

e) Elle connaît •   • français

Est-ce que tu es étudiant ?

Écoutez

1 Écoutez et cochez ce que vous entendez. Attention à *3.* et *5* !

1. ❏ **a)** français   ❏ **b)** française
2. ❏ **a)** japonais   ❏ **b)** japonaise
3. ❏ **a)** turc   ❏ **b)** turque
4. ❏ **a)** sénégalais   ❏ **b)** sénégalaise
5. ❏ **a)** espagnol   ❏ **b)** espagnole
6. ❏ **a)** allemand   ❏ **b)** allemande
7. ❏ **a)** américain   ❏ **b)** américaine
8. ❏ **a)** anglais   ❏ **b)** anglaise

2 Écoutez et cochez ce que vous entendez.

1. ❏ **a)** Je suis désolé, je ne parle pas français.   ❏ **b)** Désolé, je ne suis pas français.
2. ❏ **a)** Il parle allemand.   ❏ **b)** Elle est allemande.
3. ❏ **a)** Tu parles français ?   ❏ **b)** Tu parles anglais ?
4. ❏ **a)** Elle est américaine, non ?   ❏ **b)** Il est américain, non ?

3 Écoutez et complétez.

a) – Bonjour, monsieur. Vous .... la rue de Versailles ?

– Non, ... Excusez-moi ! Je suis .... ici, j'habite au Canada.

b) – Tu es .... ? Tu parles très bien français ! ....!

– Mais oui, bien sûr ! Je suis .... en littérature française.

Vocabulaire

4 Mettez les lettres dans l'ordre.

1. | D | A | S | R | E | E | S | ....

2. | M | O | R | U | E | N | ....

3. | E | E | E | T | L | H | P | N | O | ....

5 Complétez.

a) Thomas est __L __E __A __D ; il parle très bien F __A __Ç __IS.

b) Ana est E __P __G __O __E ; elle est É T U __I __N __E à Nice.

c) Jessie est AN __ __A __SE, elle est professeur de J __ __O.

**6 Chassez l'intrus.
Vérifiez dans le dictionnaire.**

une rue – une avenue – un hôpital – un boulevard – une place

7 Reliez la ville au pays et le pays à la nationalité.

a) Francfort •   • l'Italie •   • malien

b) Strasbourg •   • la Finlande •   • japonais

c) Naples •   • le Pérou •   • danois

d) Osaka •   • le Japon •   • péruvien

e) Helsinki •   • la France •   • allemand

f) Copenhague •   • le Mali •   • italien

g) Bamako •   • l'Allemagne •   • français

h) Cuzco •   • le Danemark •   • finlandais

Écrivez

8 Vous rencontrez Élodie, étudiante. Posez trois questions à Élodie.

a) .... ?

b) .... ?

c) .... ?

Grammaire

9 *Il* ou *elle* ? Complétez.

a) Nicolas est français. .... habite à Strasbourg.

b) Lucas aussi est français mais lui, ... habite à Nice.

c) Elizabeth est anglaise, ... travaille à Paris, au musée du Louvre.

d) Monsieur Gerry est suisse mais .... travaille en France.

e) Et Madame Gerry ? Oh, ... habite en Suisse et .... travaille à Genève.

10 Entourez la bonne réponse.

a) Clara est *allemand / allemande* ; elle parle bien *français / française*.

b) Sofia est *étudiant / étudiante* ; elle est *espagnol / espagnole*.

c) Leila est informaticienne. Elle est *turc / turque* et elle travaille à Istanbul. Elle parle *turc / turque*, *anglais / anglaise* et *allemand / allemande*.

À vous !

11 Vous réservez une table au restaurant. Vous donnez un nom. Vous épelez.

Exemple : Bonjour, je voudrais une table de deux personnes pour demain, s'il vous plaît.
Pour monsieur Cler : C. – L – E – R. Merci.

1 Regardez ces images et écrivez les mots qui conviennent.

le calme – les vacances – la cuisine – un parfum – le tourisme

a) ....

b) ....

c) ....

d) ....

e) ....

2 Ils sont français. Complétez les informations.

a) Je m'................Margot.

Je suis française.

J'................à Lille, en France.

Je .... étudiante.

b) Moi, c'................ Rémi.

Je suis français.

.... habite en Corse et .... travaille

.... Corte.

c) Et moi, ... suis Anna.

Je suis française.

Je .... professeur en Martinique,

aux Antilles.

Qu'est-ce que vous aimez ?

Vocabulaire

• Des noms
un aéroport (m.)
l'âge (m.)
un ami (m), une amie (f.)
un an (m.)
une barbe (f.)
un cadeau (m.)
des cheveux (m. pluriel)
le cinéma (m.)
un concert (m.)
un film (m.)
le football (m.)
une heure (f.)
le jazz (m.)
des lunettes (f. pluriel)
un magazine (m.)
une mère (f.)
une moto (f.)
un musicien (m.) / une musicienne (f.)
un opéra (m.)
un peintre (m./f.)
une photo (f.)
un photographe (m.) / une photographe (f.)
une plage (f.)
un problème (m.)
une queue de cheval (f.)
le sport, un sport (m.)
une surprise (f.)
les vacances (f. pluriel)

• Des pronoms
ça
elle / elles
il / ils
on
nous

• Des adjectifs
beau / belle
blanc / blanche
blond / blonde
bon / bonne
brun / brune
célèbre / célèbre
excellent / excellente
grand / grande
iranien / iranienne
jeune / jeune
libre / libre
long / longue
maigre / maigre
nouveau / nouvelle
petit / petite
roux / rousse
sympathique / sympathique (sympa)

• Des verbes
adorer
aimer
aller (à)
avoir
danser
détester
dormir
faire
lire
préférer
venir

• Des mots invariables
avec
beaucoup
demain
ensemble
où

• Pour communiquer
À tout à l'heure !
D'accord
Devine
Bien sûr !
Bonne idée !
Oh là là !
Regarde !

• Manières de dire
avoir + *âge*
C'est magnifique !
Joyeux anniversaire

OBJECTIFS

- Parler de soi, dire ce qu'on aime, ce qu'on n'aime pas
- Proposer quelque chose à quelqu'un, accepter, refuser
- Poser une question sur quelqu'un, sur quelque chose
- Décrire quelqu'un, l'identité de quelqu'un

Qu'est-ce que tu aimes ?

Écoutez

1 Écoutez et cochez ce que vous entendez.

1. ❏ **a)** Tu viens avec nous ?   ❏ **b)** Vous venez avec moi ?

2. ❏ **a)** Ils sont intéressants !   ❏ **b)** Oh, c'est intéressant !

3. ❏ **a)** Comment tu vas, toi ?   ❏ **b)** Et toi ? Comment ça va ?

4. ❏ **a)** Moi, j'aime beaucoup lire.   ❏ **b)** Moi, j'aime dormir.

2 Écoutez et barrez les lettres que vous n'entendez pas.

Exemple : TRÈ~~S~~

a) Vous allez bien ?

b) Je suis turc.

c) Vous faites du sport ?

d) Tu parles espagnol ?

e) Elle aime beaucoup les vacances.

3 Écoutez et classez.

Elle aime	Elle n'aime pas

Vocabulaire

4 Reliez le verbe et le nom.

a) danser •   • la lecture

b) lire •   • l'habitation

c) travailler •   • l'amour

d) habiter •   • le travail

e) aimer •   • la danse

5 Qui est-ce ? Elle n'est pas petite, elle n'est pas française...

C'est Natalia Vodianova.

Elle est .... Elle est .... Elle ....

6 Écrivez le contraire de :

a) aimer : ....

b) petit : ....

7 Écrivez le féminin de :

a) nouveau : ....

c) célèbre : ....

b) beau : ....

d) roux : ....

Grammaire

8 Complétez avec l' – le – la – les.

Vérifiez dans le lexique, pages 71-80.

a) – Vous aimez ....foot ?

– Non, je préfère .... tennis.

b) Elle aime .... musique classique, ... cinéma et ....opéra.

c) Lui, il adore manger ! Il aime .... gâteaux et .... croissants.

d) Vous connaissez ....Tour Eiffel ? Et .... musée du Louvre ?

9 *Est-ce que...* ou *Qu'est-ce que ... ?* Complétez.

a) .... vous faites le week-end ?

b) .... tu connais Disneyland ?

c) .... tu parles un peu allemand ?

d) .... il aime aller à la plage ?

e) .... tu préfères ? Le sport ou la plage ?

10 Mettez à la forme négative. Attention ! *ne* + voyelle → *n'*.

a) J'aime beaucoup le cinéma. → ....

b) Elle parle anglais. → ....

c) Vous êtes étudiant ? → ....

d) J'habite à Berlin. → ....

e) Ils sont français. → ....

f) Elle travaille dans un restaurant. → ....

11 Vrai ou faux ?

a) Tous les noms sont masculins ou féminins. ❑ Vrai ❑ Faux

b) Quand l'adjectif masculin se termine par -e, le masculin et le féminin ont la même forme. ❑ Vrai ❑ Faux

c) Les noms terminés par -a sont toujours féminins. ❑ Vrai ❑ Faux

À vous !

12 Qu'est-ce que vous aimez faire ? Cochez.

❑ aller au cinéma   ❑ aller au théâtre   ❑ aller à la plage
❑ regarder la télévision   ❑ faire du sport   ❑ dormir
❑ aller dans les musées   ❑ voyager   ❑ jouer du piano
❑ manger des gâteaux   ❑ boire du champagne   ❑ dîner au restaurant

Joyeux anniversaire !

Écoutez

1 **Écoutez et cochez ce que vous entendez.**

1. ❏ **a)** Bon anniversaire !   ❏ **b)** C'est mon anniversaire.

2. ❏ **a)** Mais qu'est-ce que c'est ?   ❏ **b)** Mais qui est-ce ?

3. ❏ **a)** Il a quatre ans.   ❏ **b)** Il a vingt-quatre ans.

4. ❏ **a)** Elle est jeune, elle a vingt ans.   ❏ **b)** Elle est jeune, elle a seize ans.

2 **Écoutez les quatre réponses. Posez la question avec *Qui est-ce ?* ou *Qu'est-ce que c'est ?***

a) .... ?

b) .... ?

c) .... ?

d) .... ?

3 **Écoutez et complétez.**

a) C'est l'.............................. de Sarah. Aujourd'hui, elle a ....–.................. ans.

b) Elle est très .... et déjà ....

c) Elle travaille comme .... pour le magazine *Photomax*.

d) Lui, c'est Peter. Il est ...., il est .... à Euronews.

Vocabulaire

4 **Complétez avec les mots :**
âge – ans – anniversaire – cadeau – jeune – photographe.

– Aujourd'hui, c'est l'.. de Julie.

– Elle a quel .... ?

– Elle est ...., elle a dix-neuf ....

– Tu as un .... pour elle ?

– Oui, bien sûr !

– Qu'est-ce que c'est ?

– Un album d'un .... français très célèbre, Atget. Elle adore les photos.

Grammaire

5 Conjugaison. Complétez.

a) *être* → Nous .... étudiants.

b) *avoir* → Elisa .... dix-neuf ans.

c) *travailler* → Vous .... à Milan ou à Rome ?

d) *parler* → Tu .... très bien français !

e) *aimer* → Tu .... danser ?

f) *être* → Je .... étudiant aussi !

g) *avoir* → Et vous ? Vous .... quel âge ?

h) *travailler* → Nous .... ensemble.

i) *connaître* → Vous .... le Louvre ?

j) *faire* → Qu'est-ce que tu .... demain ?

6 Complétez avec le pronom correct : *je – tu – nous – vous – ils*.

a) .... sont étudiants à Lille.

b) .... es allemande ou .... es française ?

c) Non, ... ne suis pas très célèbre, ... suis très jeune, ... ai vingt ans seulement !

d) .... avons un cadeau pour Hannah.

e) .... êtes très célèbre en Italie, n'est-ce pas ?

7 Répondez à la forme négative.

a) Elle est journaliste ? → Mais non, elle ...., elle est actrice de cinéma.

b) Vous parlez italien ? → Non, désolé. Je .... Je parle français.

c) Tu aimes l'opéra ? → Ah non, pas du tout ! Je .... je déteste ça !

d) C'est un cadeau pour Lucas ? → Non, ..., c'est pour toi !

8 Complétez avec *l' – le – la – les* ou *un – une – des*.

a) Regarde ! C'est .... tour Eiffel !

b) .... avenue des Champs-Élysées est .... avenue célèbre à Paris.

c) Je connais .... très bon restaurant à Lyon.

d) Vous n'aimez pas .... photos de Diane Arbus ?

e) – Qu'est-ce que c'est ?

   – C'est .... cadeau pour toi !

À vous !

9 Ils sont nés en 1982 et ils sont célèbres. Cherchez :

a) un prince anglais

b) une actrice et mannequin française

c) un joueur de tennis français

d) une actrice et mannequin allemande et américaine

Aujourd'hui, ils ont .... ans.

1
2
3
4

C'est un très bon film !

Écoutez

1 Écoutez et cochez ce que vous entendez. 🔘

1. ☐ **a)** Tu vas où ?   ☐ **b)** Ils vont où ?

2. ☐ **a)** Moi, j'adore la musique moderne.   ☐ **b)** Elle aime aussi la musique moderne.

3. ☐ **a)** C'est une très bonne idée.   ☐ **b)** Oui ! Excellente idée !

4. ☐ **a)** C'est Lucas, un ami de Léo.   ☐ **b)** C'est Lucas, l'ami de Léo.

2 Écoutez et complétez. 🔘

Jacques ....à Marie et Pierre. Ce soir, il y a un ....de jazz. C'est à vingt heures, dans une ....salle, à Paris.

Les musiciens sont ....Marie ....le jazz, elle dit à Pierre qu'ils ....avec lui au concert.

3 Écoutez et corrigez les quatre erreurs. 🔘

– Allô, bonjour, c'est moi : Claire. Dis-moi, il y a un super film de Tim Burton. Tu viens ?

– Hmm... C'est un film célèbre ?

– Oui, très célèbre. *Edward aux mains d'argent.*

– Ah, oui, super ! Je vais avec toi. C'est où ?

– Au Mac-Mahon. Métro Charles-de-Gaulle-Étoile. À huit heures.

– OK. À demain.

Erreur 1 : ....

Erreur 2 : ....

Erreur 3 : ....

Erreur 4 : ....

Vocabulaire

4 Il s'appelle Sam. Qu'est-ce qu'il fait ? → *Il est ...*
Entourez les mots possibles.

a) judo   **d)** foot   **g)** professeur   **j)** musicien   **m)** informaticien

b) jazz   **e)** opéra   **h)** danseur   **k)** danse   **n)** concert

c) peintre   **f)** acteur   **i)** photographe   **l)** cinéma   **o)** photo

5 Cherchez l'intrus.

le jazz – la musique – un musicien - la plage - un concert - un opéra

Grammaire

6 Complétez avec les verbes *aller – avoir – connaître – être – venir*. Conjuguez.

– Je .... au cinéma. Tu .... avec moi ?

– C'est quel film ?

– Le nouveau film de Tarentino.

– Tarentino ? Je ne .... pas ! Il .... italien ?

– Mais non ! Il .... américain. Il .... très célèbre.

– Ah bon ! Il .... quel âge ?

– Quarante-cinq ou cinquante ans.

7 Mettez au pluriel.

a) Il est journaliste à Istanbul. → ....

b) Il est français, il habite à Lyon. → ....

c) Voilà le musicien du New Morning ! → ....

d) C'est un ami chinois, il vient de Pékin. → ....

e) La nouvelle photo de Marion est très belle. → ....

8 Choisissez : *un, une, des* ? ou bien *l', le, la, les* ?

a) J'aime beaucoup .... photos de Robert Doisneau. Et vous ?

b) Bonjour, je voudrais .... baguette, s'il vous plaît.

c) Il adore .... cinéma italien. Moi, je préfère .... films américains.

d) Il y a .... touristes près de la Tour Eiffel.

e) – On va voir .... expo ?

– D'accord ! Quelle expo ?

– Je ne sais pas. .... expo au Louvre sur .... dessins de Raphaël, par exemple ?

À vous !

9 Écrivez un e-mail pour inviter un ami.

Quoi ? un concert de rock

Qui ? le groupe australien *The Vines*

Où ? à l'Olympia – Métro Madeleine

Quand ? demain – 20 h 30

Il est comment ?

1 Écoutez et écrivez *M* si l'adjectif est masculin, *F* si l'adjectif est féminin et ? si on ne sait pas (masculin ou féminin).

a) ....   e) ....   i) ....   m) ....

b) ....   f) ....   j) ....   n) ....

c) ....   g) ....   k) ....   o) ....

d) ....   h) ....   l) ....

2 Écoutez et cochez ce que vous entendez.

1. ❑ a) C'est une petite brune sympa.   ❑ b) C'est une jolie brune sympa.

2. ❑ a) Il a les cheveux longs et blonds.   ❑ b) Elle a des cheveux blonds très longs.

3. ❑ a) Elle est brune, grande, un peu maigre.   ❑ b) Elle est un peu brune et très grande.

4. ❑ a) Elle est très bien !   ❑ b) Ça va très bien !

3 Écoutez et répondez aux questions.

a) Elle s'appelle comment ?

....

b) Elle a quel âge ?

....

c) Elle habite où ?

....

d) Elle est blonde ou brune ?

....

e) Elle vient de quel pays ?

....

f) Qu'est-ce qu'elle aime ?

....

4 Cherchez l'intrus.

blanc – blond – brun – excellent – noir – roux

5 Cherchez dans le dictionnaire le contraire de :

a) joli : ....   d) nouveau : ....

b) jeune : ....   e) maigre : ....

c) bon : ....   f) long : ....

Grammaire

6 Complétez avec le pronom sujet correct : *je – tu – il – elle – on – nous – vous – ils – elles.*
(Vous utilisez tous les pronoms *une* fois).

a) .... travailles dans un restaurant ?

b) .... avez quel âge ?

c) .... sont étudiantes en philosophie.

d) Léo et moi, ... adore le judo. Et vous ?

e) Marco et Pierre ? .... vont ensemble à l'aéroport.

f) .... ne suis pas très jeune.

g) ....est jolie et très intéressante.

h) .... a vingt-six ans.

i) .... travaillons ensemble.

7 Mettez au féminin.

a) Il est grand et très maigre.

....

b) Il est très beau. C'est un grand brun avec des yeux verts magnifiques.

....

c) C'est un excellent ami, il est très sympathique.

....

d) C'est un journaliste très célèbre, il est suisse mais il habite à Paris.

....

e) Il est petit, roux et il a des lunettes.

....

8 Mettez au pluriel.

a) C'est un journaliste français, il est très sympathique.

....

b) Il est étudiant, il travaille beaucoup.

....

c) C'est une amie espagnole, elle habite à Madrid.

....

d) Elle vient avec nous ou elle préfère dormir ?

....

e) C'est un musicien de jazz très célèbre aux États-Unis.

....

À vous !

9 Décrivez la jeune fille. Utilisez un dictionnaire.

....
....
....
....
....

10 Collez ici une belle photo de vous et décrivez-la. Utilisez un dictionnaire.

Voilà une belle photo de moi...

....
....
....
....
....
....

Civilisation

1 J'habite où ?

> Chez moi, on écoute du zouk, du reggae, du merengue ;
> on danse la biguine ; on mange du boudin créole, du colombo
> et beaucoup de fruits ; et on boit du punch, c'est délicieux !

J'habite où ?

❏ à Tahiti   ❏ à Genève

❏ aux Antilles   ❏ à Bruxelles

❏ à Montréal   ❏ à Marseille

2 Devinettes. Qui est-ce ?

Victor Hugo – Paul Gauguin – Zinedine Zidane – Napoléon Bonaparte – Aimé Césaire

a) Je suis un peintre célèbre. Je suis né à Paris en 1848 et je suis mort en Polynésie française, aux îles Marquises, en 1903. Je suis ....

b) Je suis né en 1769 à Ajaccio, en Corse. Je suis petit, brun et je suis très célèbre. Je suis ....

c) Je suis un écrivain célèbre, je suis né aux Antilles, en Martinique, en 1913 et je suis mort en 2008. Je suis ....

d) Moi aussi, je suis un écrivain très célèbre. Je suis né en 1802 et je suis mort à Paris en 1885. Maintenant, je suis au Panthéon, à Paris. Je suis ....

e) Je suis grand, brun, sympathique... Je suis né à Marseille en 1972. J'adore le football. Je suis ....

3 Ces mots français viennent de quelle langue ?
Reliez le mot à sa langue d'origine. Vérifiez dans un dictionnaire français.

a) un opéra   •

b) l'alcool   •

c) un dancing   •   • l'anglais

d) le tabac   •

e) le chocolat   •   • l'arabe

f) une pizza   •

g) zéro   •   • l'espagnol

h) un hamburger   •   • l'italien

4 Dans votre langue, quels mots viennent du français ?

Par exemple, en turc, les mots *kuaför* et *polis* viennent du français *coiffeur* et *police*.

– ....

– ....

– ....

Qu'est-ce qu'elle voudrait ?

Vocabulaire

• Des noms

un ananas (m.)
un autobus (m.)
une banane (f.)
une banque (f.)
du beurre (m.)
un billet (m.)
une boîte (f.)
une bougie (f.)
une bouteille (f.)
du café (m.)
une cerise (f.)
un château (m.)
du chocolat (m.)
décembre (m.)
un dessert (m.)
dimanche (m.)
un(e) enfant (m./f.)
un euro (m.)
une exposition (f.)
de la farine (f.)
des frites (f. pl.)
une gare (f.)
un gigot (m.)
des haricots verts (m. pl.)
une idée (f.)
un kilo (m.)
du lait (m.)
un litre (m.)
le métro (m.)
une minute (f.)
un œuf (m.)
un paquet (m.)
un plat (m.)
un poisson (m.)
une pomme de terre (f.)
une salade (f.)
samedi (m.)
du sucre (m.)
une tarte (f.)
un train (m.)
vendredi (m.)
de la viande (f.)
une voiture (f.)
un voyage (m.)
un week-end (m.)

• Des adjectifs

cher / chère
délicieux / délicieuse
direct(e)
facile
superbe
premier / première
deuxième
troisième...

• Des verbes

acheter
chercher
demander
dîner
partir
prendre
voir

• Des mots invariables

après
chez
là
loin (de)
quelqu'un
seulement

• Manières de dire

Ça dépend
Ça s'arrose (ça se fête)
C'est combien ?
C'est parfait !
C'est vrai !
faire les courses
Je voudrais... elle voudrait (*pour exprimer un désir, le souhait*)
Oh la la !
par exemple
sur Internet
tout de suite
tout le monde

• Pour communiquer

à droite, à gauche, tout droit
aller à pied
aller tout droit
Je crois !
je vous en prie
prendre le bus
prendre le métro
prendre une rue

Qu'est-ce qu'on achète ?

Écoutez

1 Écoutez et dites si les phrases sont affirmatives, interrogatives ou exclamatives.

Phrases affirmatives : .... ; .... ; ....

Phrases interrogatives : .... ; .... ; .... ; ....

Phrases exclamatives : .... ; .... ; ....

2 Écoutez et cochez ce que vous entendez.

1. ❑ **a)** Qu'est-ce qu'on achète ?   ❑ **b)** Qu'est-ce que j'achète ?

2. ❑ **a)** Des légumes, c'est bon pour la santé.   ❑ **b)** Des fruits, c'est bon pour la santé.

3. ❑ **a)** Merci pour le cadeau.   ❑ **b)** Merci pour le gâteau.

4. ❑ **a)** Il faut du lait ?   ❑ **b)** On prend du lait ?

3 Entourez les noms de fruits et de légumes que vous entendez.

Fruits : ananas – kiwi – orange – papaye – mangue – cerise – banane

Légumes : pomme de terre – haricots – riz – chou – salade – soja

Vocabulaire

4 Cherchez l'intrus.

a) des bananes – des kiwis – des oranges – des pommes de terre – des ananas – des cerises

b) une boîte – un euro – un paquet – une bouteille – un litre – un kilo

5 Regardez ce dessin et corrigez le texte.

Madame Valade est au marché. Elle est avec ses enfants, Paul et Marie.
Il y a des oranges, des bananes, des ananas, du lait...
Elle achète des fruits, c'est bon pour la santé. La vendeuse est très jolie.

Il n'y a pas de ....

....

....

....

Grammaire

6 Transformez comme dans l'exemple.

Exemple : Les oranges, c'est bon pour la santé. → *Les oranges sont bonnes pour la santé.*

a) Les cerises en décembre, c'est très cher ! → ....

b) Le sport, c'est important pour Chris. Il adore ça ! → ....

c) La Tour Eiffel, c'est grand, c'est haut, c'est beau ! → ....

d) Les États-Unis, c'est très grand. → ....

e) Tu vas voir l'exposition Van Gogh ? C'est superbe ! → ....

7 Mettez au pluriel.

a) L'ananas est vraiment délicieux !

....

b) L'enfant de Fiona adore les bananes.

....

c) Le musicien anglais est excellent.

....

d) Il est peintre mais il fait aussi des photos.

....

8 Posez une question possible.

a. – .... ?
   – Oui, les enfants adorent ça.

b. – .... ?
   – D'accord. Il est magnifique !

c. – .... ?
   – Alors, les bananes, un euro quatre-vingts et l'ananas, deux euros soixante-dix. Quatre euros cinquante.

À vous !

9 Jeu de rôles

Faites des groupes de trois : deux personnes sont des client(e)s, la troisième personne est un vendeur (ou une vendeuse).

Utilisez : *Je voudrais ..... / C'est combien ? / des fruits : des oranges, des bananes, des kiwis, des cerises.... / des légumes : des pommes de terre, des haricots verts, une salade...*

Je voudrais un gâteau au chocolat !

Écoutez

1 Écoutez et cochez ce que vous entendez. ◉

1. ❑ **a)** Elle voudrait un gros gâteau.   ❑ **b)** Je vais faire un gros gâteau.

2. ❑ **a)** Il faut du chocolat, de la farine, des œufs...   ❑ **b)** Il faut des œufs, de la farine, du chocolat...

3. ❑ **a)** Et comme légumes, des haricots verts ?   ❑ **b)** Elle adore les haricots verts.

4. ❑ **a)** Il faut manger du poisson.   ❑ **b)** Je voudrais manger du poisson.

2 Écoutez et écrivez la somme en chiffres. ◉

a) Les cerises sont très chères : .... euros le kilo, c'est beaucoup !

b) Une douzaine d'œufs, ... euros.................................., un litre de lait, ... euro ....

En tout, ça fait .... euros ....

c) La salade n'est pas chère aujourd'hui. .... centimes, ça va !

d) Grande promotion sur le café de Colombie : .... euros .... le paquet seulement !

e) Les mangues viennent du Pérou par avion. Elles sont délicieuses, c'est vrai. Mais .... euros pièce, non ! C'est trop cher.

3 Écoutez la réponse et écrivez une question possible. ◉

a) .... ?

b) .... ?

c) .... ?

Vocabulaire

4 Complétez ces mots.

a) Il a les cheveux longs et des L __ __ E __ T __ S.

b) Pour l'anniversaire de Marion, j'achète une B __ U __ __ IL __ E de champagne ou deux ?

c) Je prends aussi du C __ O __ OLA __ ?

5 Classez ces mots en quatre catégories : fruits - légumes - poisson - viande. Utilisez le dictionnaire.

un ananas - une banane - un calamar - une carotte - une cerise - un hamburger - des haricots verts - un gigot - de la morue - des petits pois - des pommes - des pommes de terre - du poulet - une sardine - un saumon - un steak

Des fruits	Des légumes	Du poisson	De la viande

Grammaire

6 Complétez avec les verbes suivants : *avoir* (2 fois) – *arriver* – *être* – *venir*. Conjuguez.

Aujourd'hui, c'........................ l'anniversaire de Latzega. Elle .... 17 ans. Ses amis, Mariem et Nicolas .... déjeuner à la maison.

Ils .... avec des cadeaux, des livres : Latzega adore lire !

Il y .... un superbe gâteau au chocolat avec dix-sept bougies.

7 Complétez avec : *je – elle – tout le monde – nous – vous*.

– Qu'est-ce que .... faites pour l'anniversaire de Sandra ?

– Alors, ... fais du poisson (........................ aime beaucoup le poisson et nous aussi). Avec des frites : .... aime

les frites chez nous ! Et puis, ... faisons un gâteau, bien sûr !

8 Reliez.

1) C'est cher ? • • Non, au chocolat. Elle préfère.
2) Il faut combien de bougies ? • • Ah oui, délicieuses !
3) Je fais un gâteau à l'ananas ? • • Non, trois euros, ça va !
4) Et les cerises, elles sont bonnes ? • • Non, des frites, s'il te plaît !
5) Avec le poisson, je fais des haricots ? • • Pour dix-sept ans, dix-sept !

À vous !

9 C'est votre anniversaire. Vous invitez des amis à dîner chez vous. Qu'est-ce que vous préparez comme plat ? Vous faites quelque chose de très bon et pas trop cher.

a) Qu'est-ce que vous faites comme plat ?

b) Qu'est-ce qu'il faut pour votre plat ? Faites la liste.

c) Qu'est-ce que vous voulez comme cadeau pour votre anniversaire ? Vous choisissez trois cadeaux.

Les Champs-Élysées, c'est loin ?

Écoutez

1 Écoutez et cochez ce que vous entendez. ⊙

1. ❏ **a)** Pardon, monsieur, la rue de Rivoli, c'est loin ?   ❏ **b)** Ah, monsieur, la rue de Rivoli, c'est loin !

2. ❏ **a)** Tournez à gauche et puis à droite.   ❏ **b)** C'est la deuxième rue à droite.

3. ❏ **a)** Prenons le métro, c'est plus rapide.   ❏ **b)** Avec le métro, c'est plus rapide.

4. ❏ **a)** On prend le bus ? C'est direct !   ❏ **b)** Avec le bus, c'est direct.

2 Écoutez et complétez. ⊙

– Excusez-moi, madame, je ....la rue Alexandre Dumas. C'est par ici ?

– Oui, oui... ....à droite, là, après le feu. Continuez ....et prenez la deuxième rue.... ....

Vous tombez sur la rue Alexandre Dumas.

– C'est .... ?

– Non ! C'est à dix ou douze minutes ....

– Et en métro ?

– Ah, en métro, c'est un peu compliqué. Ce n'est pas ....

3 Écoutez les questions et entourez la bonne réponse. ⊙

1. a) Non, à dix minutes à pied.   **b)** Je préfère aller au musée.

2. a) Prends le bus, c'est direct.   **b)** À côté de l'université.

3. a) Trente ou quarante euros.   **b)** 125.

4. a) Ah non, il faut changer.   **b)** C'est la deuxième rue à droite.

5. a) Oui, le 56, il est direct.   **b)** Vous allez toujours tout droit.

Vocabulaire

4 Trouvez le mot contraire. Utilisez le dictionnaire.

a) loin de : ....

b) petit : ....

c) difficile : ....

d) trouver : ....

e) adorer : ....

5 Cherchez l'intrus.

a) à gauche – à droite – tout droit – demain – près de – loin de – ici – là

b) premier – cinquième – deuxième – problème – troisième – dixième – quatrième

6 Reliez.

a) C'est loin ?   •

b) C'est beau ?   •

c) C'est cher ?   •

d) C'est difficile ?   •

e) C'est un touriste ?   •

• Oui, superbe !

• Non, il habite ici.

• Non, très facile.

• Non, pas du tout ! Six euros.

• Non, c'est à cinq minutes à pied.

Grammaire

7 Complétez avec une préposition : *à – au – avec – dans – près de.*

a) Elles habitent .... Stockholm. Elles travaillent .... un restaurant.

b) Je vais .... cinéma. Tu viens .... moi ?

c) La maison de Ségolène est .... de la gare du Nord, c'est à cinq minutes à pied.

8 Transformez comme dans l'exemple.

Exemple : Vous prenez le bus. → Prenez le bus !

a) Vous allez au cinéma . → ....

b) Vous tournez à gauche. → ....

c) Vous faites un gâteau à l'ananas. → ....

d) Vous cherchez dans le dictionnaire. → ....

e) Vous venez avec nous en vacances . → ....

À vous !

9 Lisa habite à Berlin, en Allemagne. Elle est sportive et elle adore le vélo. Elle est en vacances. Elle a une bonne idée : aller à Paris en vélo avec des amis.

a) Ils font combien de kilomètres ?

❏ moins de 500 kilomètres

❏ entre 800 et 1 000 kilomètres

❏ plus de 1 000 kilomètres

b) Ils passent par quelles grandes villes ? ....

Vérifiez sur Internet ou dans un atlas.

On part en week-end ?

Écoutez

1 Écoutez et cochez ce que vous entendez.

1. ❏ **a)** Moi, j'adore voyager mais en train. ❏ **b)** Moi, j'aime bien voyager en train.

2. ❏ **a)** Qui prend les billets ? Toi ou moi ? ❏ **b)** Qui achète les billets ? C'est toi ?

3. ❏ **a)** C'est bien, mais c'est très loin. ❏ **b)** C'est très beau, mais c'est loin !

4. ❏ **a)** Elle fait un petit voyage. ❏ **b)** On fait un petit voyage ?

2 Écoutez. Deux phrases sont à l'impératif. Lesquelles ?

Les phrases .... et .... sont à l'impératif.

3 Écoutez et corrigez les quatre erreurs du texte.

– Qu'est-ce qu'on fait demain ? On va voir une expo ?
– Encore une expo ! Non ! J'ai une idée : on prend la voiture...
– Ah non, pas la voiture ! Tu sais bien, je déteste conduire le dimanche.
– Bon, alors, on prend le train et on va voir mes parents.
– Mais tu es folle ! C'est trop loin !
– Bon, alors, allons chez Pierre.

Erreur 1 : .... Erreur 2 : .... Erreur 3 : .... Erreur 4 : ....

Vocabulaire

4 Mettez dans l'ordre.

mardi – jeudi – dimanche – lundi – vendredi – mercredi – samedi

....

5 Cherchez l'intrus.

un avion – une voiture – un train – un vélo – une exposition – le métro – le bus

6 Dans une phrase, *chez* est impossible. Laquelle ? Pourquoi ?

a) Je vais ....moi. Tu viens avec moi ?

b) Il y a une superbe expo .... le musée du Louvre.

c) Il habite .... Lucas, rue de Moscou.

d) Demain, nous dînons .... des amis.

Réponse impossible : phrase .... (= ....)

Grammaire

7 Conjugaison. Terminez les verbes.

a) Tu pren.............. le train ou la voiture ?

b) Nous all.............. en vacances en Bretagne.

c) Qu'est-ce que vous fai.............. demain ? Nous, nous part.............. en week-end.

d) Ils f.............. un voyage, ils visit.............. les châteaux de la Loire.

e) Vous ven.............. avec nous ?

8 *Aller* ou *venir* ? Choisissez et conjuguez.

– Salut, Victor. Ça va ? Je .... à la plage. Tu .... avec moi ?

– Non, merci. Moi, je .... au cinéma. Il y a un bon film au Carlton.

– Ah bon ! Quoi ?

– Le nouveau film de Woody Allen.

– Super ! Je .... avec toi !

9 Transformez comme dans l'exemple.

Exemple : Tu viens avec moi ? → Viens avec moi !

a) Vous prenez les billets pour le concert. → ....

b) Tu fais un cadeau à Marina ? → ....

c) Nous allons au théâtre demain. → ....

d) Tu apprends le russe → ....

e) Vous travaillez beaucoup. → ....

f) Nous partons ensemble. → ....

À vous !

10 On visite Paris ? Cherchez les informations sur Internet.

Vous êtes à Paris pour le week-end. Vous voulez :

a) voir la *Joconde* → Où allez-vous ? ....

b) voir des tableaux de Renoir et de Van Gogh → Où allez-vous ? ....

c) vous promener dans un beau jardin → Où allez-vous ? ....

d) dire bonjour au Président de la République → Où allez-vous ? ....

e) aller sur la tombe de Jim Morrisson, le chanteur des Doors → Où allez-vous ? ....

11 Choisissez une de ces visites et présentez-la oralement.

Exemple : Pour voir la Joconde, il faut aller...

Civilisation

1 Les fêtes en France
Reliez. Vérifiez sur Internet.

a) 14 février •   • Noël

b) 1er mai •   • Fête de la musique

c) 25 décembre •   • Fin de la Première Guerre mondiale

d) 21 juin •   • Fête des amoureux

e) 14 juillet •   • Fête de tous les saints (et fête des morts)

f) 1er novembre •   • Fête du travail

g) 11 novembre •   • Fête nationale

2 Présentez les fêtes de votre pays.

.... = ...

.... = ...

.... = ...

3 Devinettes

a) Je suis une grande ville du Nord-Ouest de la France. Chez moi, on mange des crêpes et on boit du cidre. La mer n'est pas très loin.

Je suis R _ _ _ _ _ S.

b) Je suis une grande ville de Belgique. Chez moi, on mange des moules et on boit de la bière. Il y a aussi beaucoup d'institutions européennes.

Je suis B _ _ _ _ _ _ _ S.

c) Je suis une très belle ville du Nord-Est de la France. Chez moi, on adore la choucroute. Et, avec la choucroute, on boit de la bière ou un bon vin blanc.

Je suis S _ _ _ _ _ _ _ _ G.

4 La France des vins et des fromages

a) Cherchez le camembert sur la carte.
Cherchez sur Internet la région du camembert.
C'est la ....

b) Imaginez une publicité pour le champagne.
Imaginez une affiche et proposez un slogan.

Qu'est-ce que vous avez fait hier ?

OBJECTIFS

- Se situer dans le temps (présent, futur proche, passé composé)
- Prendre rendez-vous avec quelqu'un
- Savoir utiliser certaines expressions de temps
- Parler de sa famille

Vocabulaire

• Des noms

une addition (f.)
l'après-midi (m.)
un bureau (m.)
la confiture (f.)
un copain (m.), une copine (f.)
un dîner (m.)
un docteur (m.)
une école (f.)
une famille (f.)
une femme (f.) / un homme (m.)
une fille (f.)
un fils (m.)
un frère (m.)
une grand-mère (f.)
un grand-père (m.)
un jour (m.)
une journée (f.)
un mari (m.) / une femme (f.)
un matin (m.)
midi (m.)
un ordinateur (m.)
les parents (m. pl.)
un petit déjeuner (m.)
un projet (m.)
un quart (m.)
une réunion (f.)
un rendez-vous (m.)
une semaine (f.)
une sœur (f.)
le soir (m.)
une télévision (f.)
un thé (m.)
une visioconférence (f.)

les jours de la semaine :
lundi, mardi, mercredi, jeudi,
vendredi, samedi, dimanche

• Des adjectifs

demi(e)
dernier / dernière
fatigué(e)
irlandais(e)
possible
prochain(e)
quel(le)
tout(e)
vert(e)

• Les adjectifs possessifs

mon, ma mes
ton, ta, tes
son, sa, ses
notre, nos
votre, vos
leur, leurs

• Des verbes

appeler (quelqu'un)
bavarder
déjeuner
se dépêcher
se doucher
épouser (quelqu'un)
s'habiller
manger
préparer (quelque chose)
se retrouver
se réveiller
vivre

• Des mots invariables

aujourd'hui
debout
encore
ensuite
hier
longtemps
maintenant
partout
presque
quand
rien
vite

• Pour communiquer

Attention !
Allez !
S'il te plaît

• Manières de dire

À demain
à la maison (= chez nous)
À mardi !
Attendez...
avoir du temps libre
avoir l'heure
C'est l'heure !
dîner en famille
être en retard
faire le ménage
Incroyable !
Pas question !
passer beaucoup de temps
prendre un café, prendre un thé
Quelle heure est-il ?
tout de suite

Quelle heure est-il ?

Écoutez

1 Écoutez et cochez ce que vous entendez.

1. ☐ **a)** On part à dix heures et quart ?   ☐ **b)** Tu pars à six heures et quart ?
2. ☐ **a)** Allez, allez, il faut se dépêcher !   ☐ **b)** Allez, allez, dépêchez-vous !
3. ☐ **a)** Il est quelle heure ?   ☐ **b)** Il est cinq heures.
4. ☐ **a)** Il est sept heures et quart.   ☐ **b)** Il est sept heures moins le quart.

2 Écoutez les réponses et cochez la question qui correspond.

1. ☐ **a)** Il est quelle heure ?   ☐ **b)** Tu déjeunes avec nous ?
2. ☐ **a)** Il va à l'école ?   ☐ **b)** Je peux dormir encore un peu ?
3. ☐ **a)** Tu veux un chocolat ?   ☐ **b)** Tu termines ton petit déjeuner, oui ou non ?
4. ☐ **a)** Elle sort du bureau à quelle heure ?   ☐ **b)** Il est cinq heures ou six heures ?

3 Écoutez ces phrases à l'impératif et donnez l'infinitif du verbe.

1. ....   2. ....   3. ....   4. ....
5. ....   6. ....   7. ....   8. ....

Vocabulaire

4 Le petit déjeuner des Français

Ils prennent du .... ou du .... Ils mangent du ....
avec du .... et de la .... Ils mangent aussi des ....

5 Quelle heure est-il ? Écrivez.

....
....

Grammaire

6 **Complétez avec les verbes** *faire – dîner – partir – préparer – voir* **au futur proche.**

a) – Où tu vas ?

– Je .... un film à la cinémathèque.

b) – Qu'est-ce qu'elle fait ?

– Il est sept heures, elle .... le petit déjeuner.

c) – Vous allez où ?

– On .... au restaurant.

d) – Papa, tu vas où ?

– Je .... les courses. Tu viens avec moi ?

e) Attention, attention, le train n° 3410 .... !

7 **Donnez l'infinitif des verbes soulignés.**

a) <u>Habille-toi</u> ! → ....

b) <u>Dépêchez-vous</u> ! → ....

c) <u>Venez</u> avec nous ! → ....

d) <u>Faites</u> un petit cadeau à Alice ! → ....

e) <u>Prenez</u> le bus, c'est direct ! → ....

f) <u>Dormez</u> huit heures par nuit, c'est nécessaire ! → ....

8 **Complétez les verbes pronominaux.**

a) À sept heures, Marine .... lève.

b) Allez, vite, les enfants, dépêchez-.............. !

c) Nous .... réveillons tous les matins à cinq heures.

d) Vous .... appelez comment ?

e) Moi ? Je .... appelle Jane.

f) Elles .... habillent chez Dior !

g) Lucas, tu .... dépêches, oui ou non ?

h) Jonathan .... lève à 7 heures et il .... couche à 23 heures.

À vous !

9 **L'emploi du temps de Victor. Qu'est-ce qu'il fait toutes les semaines ?**

Tous les lundis, à 18 h, ...

Tous les jeudis, ... avec ses amis après le travail.

Tous les samedis, il .... le matin.

Le soir, il .... avec Adèle.

Tous les dimanches matin, il ....

Et après, il ....

On peut se voir la semaine prochaine ?

Écoutez

1 Écoutez et cochez ce que vous entendez.

1. ☐ **a)** D'accord pour mardi, deux heures et quart. ☐ **b)** D'accord. Mardi, à dix heures et quart.

2. ☐ **a)** Et mercredi soir, c'est possible ? ☐ **b)** Mercredi soir, c'est impossible ?

3. ☐ **a)** Il arrive tous les jours à six heures. ☐ **b)** Elle sort tous les jours à dix heures.

4. ☐ **a)** Je voudrais un rendez-vous. ☐ **b)** Elle veut un rendez-vous.

2 Écoutez et donnez l'infinitif du verbe.

a) .... **b)** .... **c)** .... **d)** ....

e) .... **f)** .... **g)** .... **h)** ....

3 Écoutez les questions et cochez la réponse qui correspond.

1. ☐ **a)** Ah non, désolée, c'est impossible. ☐ **b)** Rue du 14-Juillet, au numéro 24.

2. ☐ **a)** Oui, mais pas avant 18 h 30. ☐ **b)** À midi, oui, d'accord.

3. ☐ **a)** D'accord ! Rendez-vous à 13 h chez l'Ami Louis. ☐ **b)** Oui, toute la journée.

4. ☐ **a)** Trois jours à Rome. ☐ **b)** À dix heures et demie.

Vocabulaire

4 Les contraires

c'est possible ≠ c'est ....

c'est facile ≠ c'est ....

adorer ≠ ....

jeune ≠ ....

grand ≠ ....

un peu ≠ ....

5 Heure familière, heure officielle. Faites deux colonnes.

douze heures dix – quatorze heures quinze – trois heures vingt-cinq – dix-huit heures quarante-cinq – seize heures trente –
huit heures et demie – treize heures quinze – minuit et demi – quatre heures moins le quart

Heure familière	Heure officielle
midi et quart	*douze heures dix*

Grammaire

6 Conjuguez le verbe *pouvoir*.

a) – Tu .... venir chez moi demain ?

– Ah non, désolé. Impossible ! Je ne .... pas !

b) Est-ce que vous .... venir à 15 h 30 mercredi ?

c) Ils ne .... pas dormir l'après-midi.

d) Nous .... avoir un rendez-vous avec le docteur Roux, s'il vous plaît ?

e) À l'aéroport, on .... acheter beaucoup de choses !

f) Michel .... faire les courses, tu es fatiguée !

7 Reliez.

a) On peut se voir à cinq heures ?   •

b) Quelle heure est-il, s'il vous plaît ?   •

c) Vous êtes libre quand ? Lundi ?   •

d) Je peux avoir un rendez-vous, s'il vous plaît ? •

e) On déjeune ensemble demain ?   •

f) Comment allez-vous ?   •

• **1)** Non, désolé, lundi, je suis à Lyon.

• **2)** Très bien, merci. Et vous ?

• **3)** Exactement onze heures vingt.

• **4)** Super ! On se retrouve à 13 h au restaurant ?

• **5)** Dix-sept heures ? D'accord, très bien.

• **6)** Oui, bien sûr. Quel jour ?

8 Voici la réponse. Posez la question.

a) – .... ?

– Tous les matins, à sept heures.

b) – .... ?

– Du café ou du thé, un croissant, un jus d'orange.

c) – .... ?

– Ah non, le dimanche, je dors tard. Je me réveille à neuf ou dix heures.

d) – .... ?

– Oui, un peu de foot le samedi. Avec des amis.

e) – .... ?

– Non, le matin. L'après-midi, on fait des courses pour toute la semaine.

À vous !

9 Jeu de rôles pour deux personnes (un(e) client(e) / un(e) secrétaire médical(e))

Vous êtes très fatigué(e). Vous téléphonez
pour prendre rendez-vous avec le docteur Keller.
Vous téléphonez pour prendre rendez-vous le soir.

Qu'est-ce que tu as fait ce week-end ?

Écoutez

1 Présent ou passé composé ? Écoutez et cochez ce que vous entendez.

1. ❏ **a)** Je mange au restaurant avec des amis. ❏ **b)** J'ai mangé au restaurant avec des amis.

2. ❏ **a)** Je travaille toute la journée. ❏ **b)** J'ai travaillé toute la journée.

3. ❏ **a)** Il habite à Shanghai. ❏ **b)** Il a habité à Shanghai.

4. ❏ **a)** J'aime tous les films d'Ozu. ❏ **b)** J'ai aimé tous les films d'Ozu.

5. ❏ **a)** Tu achètes une nouvelle voiture ? ❏ **b)** Tu as acheté une nouvelle voiture ?

2 Écoutez deux fois et complétez.

J'aime bien .... D'abord, ... tard, à neuf heures, neuf heures et demie. Je déjeune tranquillement, j'écoute ....

Après, je vais faire .... On déjeune .... Mon frère et sa copine viennent souvent déjeuner .... le dimanche.

Et ...., on sort, on va se promener dans la forêt ou on va au cinéma ou on reste dans le jardin, on ....

3 Écoutez et entourez ce qu'elle a fait hier.

a) sortir avec des amis **d)** faire les courses **g)** déjeuner au restaurant **j)** voir une expo

b) aller au cinéma **e)** travailler **h)** se lever tard

c) déjeuner en famille **f)** regarder la télé **i)** partir en week-end

Vocabulaire

4 Mettez les phrases dans l'ordre logique.

a) Après la douche, j'ai pris mon petit déjeuner, j'ai écouté les informations à la radio.

b) J'ai fait un peu de ménage et je me suis habillé.

c) Dimanche, je me suis réveillé à huit heures.

d) Un jean, un tee-shirt et hop ! au marché ! J'ai fait des courses comme tous les dimanches.

e) Tout de suite, j'ai pris une douche pour me réveiller complètement.

f) J'ai préparé une grande salade et du poisson. Caroline, ma copine, adore le poisson !

g) Et, à une heure, nous avons déjeuné ensemble à la maison.

→ ....

Grammaire

5 Le passé composé. Donnez l'infinitif du verbe.

a) Hier, elle a dormi longtemps. → ....

b) Stella, tu as fait les courses ? → ....

c) Moi, dimanche, j'ai regardé la télévision. → ....

d) Tu as vu le dernier film de Cronenberg ? → ....

e) Vous avez déjeuné où ? → ....

f) Ils ont travaillé aux États-Unis de 1999 à 2009. → ....

6 **Les adjectifs possessifs. Complétez avec** *mon – ma – mes / son – sa – ses / leur – leurs.*
Mettez *a, b* **ou** *c* **sous les dessins.**

....

a) Sur cette photo, c'est moi avec .... amie Claire et dans .... bras, ... petit chien, Croc. Moi, je n'aime pas beaucoup les chiens !

b) Sur la photo, là, ce sont .... parents. .... père a quarante ans sur la photo et .... mère trente-six. Ils sont jeunes. C'est une photo de 2000 ou 2001.

c) Et là, c'est .... frère Ben avec .... femme. .... bébé a six mois.. C'est une photo de la semaine dernière.

7 **Mettez ces phrases au passé composé.**

a) Tu dors longtemps ? ➜ Hier, ... ?

b) Tu travailles au restaurant ? ➜ Samedi, ... ?

c) On fait un gâteau pour l'anniversaire d'Hélène. ➜ Hier soir, ...

d) Vous regardez la télé ? ➜ Dimanche, ... ?

e) Nous achetons des fruits. ➜ Hier, ...

f) Je vois Anne tous les jours. ➜ L'été dernier, ...

8 **Entourez les phrases au passé composé.**

a) Vous avez regardé la télévision ou vous avez vu des copains ?

b) Je vais déjeuner au restaurant avec ma copine Maeva.

c) J'ai fait un peu de ménage.

d) J'ai rencontré ton frère Thomas dans la rue.

e) Elle adore bavarder avec ses copines.

f) Je n'ai pas aimé le dernier film de Woody Allen. Et toi ?

g) Tu vas travailler avec Chris sur le projet Keller ?

h) J'ai rencontré des gens très intéressants à Montréal.

À vous !

9 **Vous êtes Florian et c'est lundi.**
Racontez votre dernier week-end.

Samedi, ...
....
....
....
Et hier, ...
....
....
....

> Samedi
> 10 h Rendez-vous Docteur Kléber
> 13 h Déjeuner chez papa et maman
> 16 h RV Anna au jardin du Roi
> Soir : concert de rock (21 h)
>
> Dimanche
> 11 h : debout !
> 13 h Déjeuner avec Anna au restaurant
> Après-midi : ciné (film de Kaurismaki, super !)

Une famille tout en couleurs

Écoutez

1 Écoutez et cochez ce que vous entendez.

1. ❑**a)** Qu'est-ce que tu veux avec ton thé ?   ❑**b)** Qu'est-ce que tu veux ? Du thé ?

2. ❑**a)** Venez avec votre ami.   ❑**b)** Venez avec vos amis.

3. ❑**a)** C'est son mari ou son frère ?   ❑**b)** C'est ton mari ou ton frère ?

4. ❑**a)** Il a un petit garçon tout blond.   ❑**b)** C'est un petit garçon tout blond.

2 Écoutez la question et entourez la réponse correcte.

1. a) Non, juste un thé vert, s'il vous plaît.   **b)** Non, c'est mon frère Yann.

2. a) Oui, elle est très jolie.   **b)** Oui, depuis deux ans.

3. a) Non, sa mère est chinoise et son père est français.   **b)** Non, il n'est pas coréen, il est chinois.

4. a) Non, c'est la fille de ma sœur Agnès .   **b)** Oui, c'est mon fils, le troisième.

5. a) Oui, là, c'est mon père et, là, ma mère.   **b)** Oui, les parents de mon mari.

3 Écoutez et répondez aux questions.

1. Alice a combien de frères et sœurs ? ....

2. Ses parents ont divorcé quand ? ....

3. Les sœurs d'Alice habitent avec qui ? ....

4. Elles ont le même âge ? ....

5. Le frère d'Alice est étudiant. Qu'est-ce qu'il étudie ? ....

6. Et Alice, qu'est-ce qu'elle étudie ? ....

7. Alice voit son père tous les ans ? Quand ? ....

8. Les relations entre les parents d'Alice sont comment ? bonnes ou mauvaises ? ....

Vocabulaire

4 Complétez avec les mots : *parents – mari – famille – sœur – fille – fils.*

En 2009, ma .... a travaillé à Bruxelles pour la Communauté européenne. À Bruxelles, elle a rencontré un collègue anglais, John. C'est maintenant

son .... Ils ont deux enfants, un .... et une .... Toute la .... habite encore à Bruxelles.

Pendant les vacances, ils vont chez mes ...., en Bretagne.

5 Décrivez cette famille.

....

....

....

....

....

Grammaire

6 Accords de l'adjectif. Mettez au pluriel.

a) C'est le fils de Marie. Il est grand et blond. → ....

b) Prenez un ananas. Il est absolument délicieux et il n'est pas cher. → ....

c) J'ai déjeuné hier avec un ami japonais très sympa. → ....

d) Le week-end prochain, je vais voir un copain belge. → ....

7 Place de l'adjectif. Placez les adjectifs dans la phrase.

a) Il faut prendre la rue à gauche et après, c'est tout droit. (*première*) → ....

b) Moi, j'adore le thé, mais mon copain préfère le chocolat. (*vert*) → ....

c) Super, il y a un cinéma tout près de chez moi. (*nouveau*). → ....

d) Son mari est un Allemand. (*jeune / très sympa*) → ....

e) Il a une Mini Cooper ; c'est une voiture. (*anglaise / jolie / petite*) → ....

À vous !

8 Lisez et complétez l'arbre généalogique de Victor Mallet.

Il s'appelle Victor Mallet, il a 18 ans et il est fils unique. Son père s'appelle Luc Mallet, il a 52 ans. Sa mère, Isabelle, a 48 ans, elle n'a pas de frère, pas de sœur.
Les parents d'Isabelle, André et Jacqueline Dumont, ont tous les deux 77 ans. Le père de Luc Mallet, Denis Mallet, est mort en 2002 ; sa mère Patricia a 80 ans.
Patricia et Denis Mallet ont eu deux enfants : leur fille Cécile, elle a 53 ans et leur fils Luc. Cécile a une fille, Lise, qui a 18 ans, comme son cousin Victor.

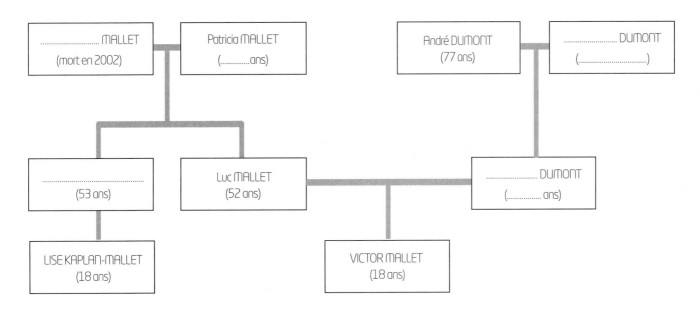

9 Présentez votre famille (grands-parents, parents, frères et sœurs).

• Dessinez votre arbre généalogique sur trois générations (grands parents - parents - votre génération). Mettez des photos.

• Présentez oralement chaque personne de votre famille.

1 Familles en France
Complétez le texte avec les mots : *enfants – grandes – indépendantes – monoparentales – travaillent - traditionnelle.*

Les .... familles (grands-parents, parents, enfants dans la même maison), c'est fini ! Aujourd'hui, la famille ....,

c'est papa + maman + deux .... Et pas toujours. Il y a beaucoup de familles ...., c'est le plus souvent une femme seule

avec un ou deux enfants. En France, actuellement, presque toutes les femmes, avec ou sans enfants, ... Pourquoi ?

Par nécessité bien sûr, mais aussi pour être ....

2 Évolution de 2000 à 2011

Mariages et divorces en France

	Nombre de mariages	Nombre de divorces
2000	305 234	114 000
2011	241 000	131 000

Enfants en France

	Nombre moyen d'enfants par femme	Pourcentage d'enfants nés de deux parents non mariés ensemble
2000	1,89	43,6 %
2011	2,02	55,8 %

Relisez le texte, regardez les chiffres et répondez par Vrai ou Faux.

a) Presque toutes les femmes françaises travaillent.   ❏ Vrai   ❏ Faux

b) Il y a un nombre égal de mariages en 2000 et aujourd'hui.   ❏ Vrai   ❏ Faux

c) Il y a beaucoup de pères seuls avec des enfants.   ❏ Vrai   ❏ Faux

d) La majorité des bébés en 2011 ont des parents mariés.   ❏ Vrai   ❏ Faux

3 Et dans votre pays ?

Maintenant, les femmes ont en moyenne combien d'enfants ? ....

Et dans les années 1950 ? ....

Quels sont vos projets ?

Vocabulaire

• Des noms

un animal (m.)
le bac (baccalauréat) (m.)
la chaleur (f.)
une chaussure (f.)
un cours (m.)
un décorateur (m.) / une décoratrice (f.)
une écharpe (f.)
une entreprise (f.)
l'été (m.)
les études (f. pl.)
un examen (m.)
un(e) ingénieur (m. ou f.)
juin (m.)
une période (f.)
la philosophie (f.)
une porte (f.)
le printemps (m.)
la rentrée (f.)
un sculpteur (m.)
un semestre (m.)
septembre (m.)
le soleil (m.)
un steward (m.)
un tableau (m.)
le temps (m.)
le théâtre (m.)
le travail (m.)
une université (f.)
un(e) vétérinaire (m. ou f.)

• Des adjectifs

bleu(e)
bronzé(e)
célibataire
difficile
fatigant(e)
gros / grosse
rose

• Pour communiquer

Ça suffit !
Comme d'habitude !

• Des verbes

s'amuser
se baigner
commencer
continuer
mettre
mourir
naître
neiger
pleuvoir
rater
rencontrer
rentrer
rester
réussir
se reposer
trouver
vouloir
voyager

• Des mots invariables

depuis
là-bas
pendant
peut-être
sans
souvent

• Manières de dire

avoir de la chance
avoir un poste
Comment ça s'est passé ?
fac = faculté = université
Fini !
faire des études, faire un master
faire du bateau
faire du vélo
Il fait quel temps ?
Il fait beau, il fait chaud, il fait froid
Merci bien
un prof = un professeur
plus tard (= *dans le futur*)
Raconte-moi !

OBJECTIFS

- Parler de son parcours scolaire, universitaire et de ses projets professionnels
- Raconter un événement passé
- Faire la biographie de quelqu'un
- Parler du temps, des loisirs, des vacances

Après les études...

Écoutez

1 Écoutez et cochez ce que vous entendez.

1. ☐ **a)** Elle est allée à l'université à pied.   ☐ **b)** Elles sont allées à l'université à pied.

2. ☐ **a)** Il est parti avec qui ?   ☐ **b)** Il est parti mais quand ?

3. ☐ **a)** Tu ne veux pas sortir avec Lou ?   ☐ **b)** Tu ne veux pas venir avec nous ?

4. ☐ **a)** Nous sommes allés à Mexico.   ☐ **b)** Nous sommes partis à Mexico.

2 Écoutez et complétez la biographie de Léonard de Vinci.

Léonard de Vinci, enfant illégitime (son père est un noble et sa mère est une paysanne) est né le 15 .... 1452 en Italie.

Il a passé son enfance chez son père et il .... à dessiner et à peindre très jeune. À 17 ans, il .... dans un atelier

de Florence pour apprendre la technique de la peinture. Plus tard, il .... et travaillé dans d'autres villes d'Italie : Milan, Rome, Venise...

Léonard de Vinci, c'est un peintre, mais c'est aussi un sculpteur, un mathématicien, un ingénieur, un inventeur. Sur ses petits carnets, il ....

des milliers de dessins, de schémas. Souvent, ce sont des machines de guerre. Il .... des objets qui ont existé beaucoup plus tard

comme l'hélicoptère ou l'avion. Il .... ses dernières années en France, à Amboise, invité par le roi François Iᵉʳ. Il est mort le 2 mai 1519, à ....

Il est enterré à Amboise. On .... voir sa tombe dans le château.

Vocabulaire

3 Trouvez le nom correspondant au verbe. Vérifiez dans le dictionnaire.

Exemples : arriver → l'arrivée

a) travailler → le ....   **d)** dîner → le ....

b) aimer → l'...........................   **e)** rencontrer → la ....

c) lire → la ....   **f)** vivre → la ....

4 Les études en France
Complétez avec : *ans – bac – collège – école – maternelle – université.*

• De 3 ans à 6 ans, les enfants vont à l'école ....

• De 6 ans à 11 ans, ils vont à l'........................... élémentaire.

• De 11 ans à 15 ans, on va au ....

• De 15 ans à 18 ans, on va au lycée. L'examen final s'appelle le ....

• L'école est obligatoire jusqu'à 16 ....

• Après le lycée, on va à l'........................... .

5 Les études supérieures : le LMD (3/5/8)
Complétez avec : *3 – 5 – 8 – master.*

a) L = la licence → .... ans   **b)** M = le .... → .... ans   **c)** D = le doctorat → minimum .... ans

6 Trouvez le mot.

a) V _ T _ R _ N _ I _ E

b) _ EU _ EU _ E _ E _ T

c) C _ _ M _ N _ ER

d) _ HI _ O _ O _ H _ E

7 Complétez le drapeau.

Le **drapeau français** est bleu, blanc, rouge.

Et votre drapeau, il a quelle(s) couleur(s) ?

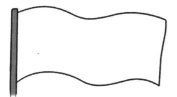

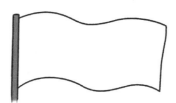

Grammaire

8 Mettez au passé composé. Attention aux accords !

a) Hier, je (*voir*) .... mes copains mexicains.

Ils (*venir*) .... en vacances en France.

b) L'après-midi, nous (*aller*) .... à Versailles.

c) Ils (*adorer*) .... le château.

Nous (*visiter*) .... aussi le parc.

d) Nous (*revenir*) .... à la maison à 18 h.

e) Je (*bavarder*) .... avec ma copine Dora.

J'adore parler avec elle !

f) Paul et Pablo (*préparer*) .... le dîner ensemble.

g) Nous (*dîner*) .... tous les quatre. Très sympa, le dîner !

h) Ils (*dormir*) .... à la maison.

9 Lisez la réponse et écrivez la question.

– .... ?

– J'ai fait un master d'économie à Bordeaux.

– .... ?

– Après, j'ai fait un stage en entreprise, chez L'Oréal.

– .... ?

– Six mois, d'octobre à mars.

– .... ?

– Anglais, espagnol et un peu allemand.

À vous !

10 Cherchez sur Internet des informations sur Charles de Gaulle et écrivez sa vie au passé composé.

Utilisez les verbes : *naître (en ... à ...) – faire des études de ... à ... – devenir soldat (en....) – se marier (en ...) et avoir des enfants (combien ?) – partir en Angleterre (en ...) – revenir en France (en ...) – devenir président de la République (en ...) – être président (de ... à ...) – mourir (en ... à ...).*

Attention : les verbes *venir, devenir, revenir* et *se marier* se conjuguent avec l'auxiliaire *être*.

FRANCE, JAPON, CANADA, ÉTATS-UNIS...

Écoutez

1 Écoutez et cochez ce que vous entendez.

1. ❑ **a)** Elle habite à Montréal, au Canada.　　　❑ **b)** Ils habitent à Montréal, au Canada.

2. ❑ **a)** Il est né au Brésil, mais il a vécu en Suisse.　　❑ **b)** Il a vécu au Brésil, mais il est mort en Suisse.

3. ❑ **a)** Nous avons vécu longtemps aux États-Unis.　　❑ **b)** Vous avez vécu longtemps aux États-Unis ?

4. ❑ **a)** Il est parti depuis dix ans.　　　　❑ **b)** Il est parti pendant dix ans.

2 Écoutez ces phrases. On parle de la nationalité des gens. Donnez le nom du pays.

Exemple : un Danois → le Danemark

a) ....

b) ....

c) ....

d) ....

e) ....

3 Écoutez. On parle de quel pays ?

....

Vocabulaire

4 Cherchez l'intrus.

a) informaticien – steward – professeur – ordinateur – décorateur – ingénieur – vétérinaire

b) le Canada – le Pérou – le Chili – l'Argentine – le Mexique – la Thaïlande – la Colombie

5 Complétez. Cherchez dans votre dictionnaire.

Dans un avion, il y a un ....,

un co-..,

des ....

et des .... de l'air.

Grammaire

6 **Regardez cette liste de pays et entourez les phrases exactes.**
Donnez un ou deux exemples de la liste.

l'Albanie – la Belgique – le Brésil – la Bulgarie – le Burkina-Faso – le Cameroun – la Chine – la Corée – la Croatie – Cuba – le Danemark – l'Espagne – les États-Unis – la France – le Ghana – la Grèce – l'Iran – l'Italie – le Japon – le Kenya – le Liban – Madagascar – le Nigéria – la Norvège – le Rwanda – la Suède – la Suisse – l'Uruguay – le Venezuela – le Zimbabwe

a) Tous les noms de pays ont un article (*l', le, la* ou *les*).

Exemple : ....

b) Les noms de pays terminés par *-e* sont toujours féminins.

Exemple : ....

c) Les noms de pays terminés par *-a* sont toujours masculins.

Exemple : ....

d) Les noms de pays terminés par *-a* se trouvent tous en Afrique.

Exemple : ....

e) Quand un nom de pays se termine par une consonne, il est toujours masculin.

Exemple : ....

f) Quand un nom de pays commence par une voyelle, **le** ou **la** devient **l'**.

Exemple : ....

7 **Complétez avec *à – au – aux – en*.**

a) Il est parti faire ses études .... Canada, ... Montréal.

b) Elle a vécu quatre ou cinq ans .... Italie, d'abord .... Rome puis .... Milan.

c) Il a de la chance ! Il va .... États-Unis et .... Mexique l'été prochain.

d) Qu'est-ce que tu préfères ? Faire un voyage .... Finlande ou .... Danemark ?

e) Il est né .... Zurich, ... Suisse et il est mort .... Buenos-Aires, ... Argentine.

8 **Complétez avec les auxiliaires *être* ou *avoir*.**

Diana Spencer, une jeune fille de l'aristocratie britannique, ... née en 1961. Elle .... fait des études (pas beaucoup) et elle .... appris le piano. Elle .... épousé le prince de Galles, Charles d'Angleterre, en 1981. Elle .... eu deux fils. Mais le mariage s'........................ mal passé et en 1996, Charles et Diana .... divorcé. Elle .... rencontré la même année Dodi Al-Fayed, un businessman très riche. Elle .... morte avec lui dans un accident de voiture en 1997 à Paris.

À vous !

9 **Choisissez l'une des publicités AIR BLEU. Expliquez.**
Imaginez un slogan publicitaire pour le train.

a)

b)

Ah, les vacances...

Écoutez

1 Écoutez et cochez ce que vous entendez. ⊙

1. ❑ **a)** Ah, super, demain, les vacances ! ❑ **b)** Enfin, dimanche, les vacances !

2. ❑ **a)** Il a fait très froid en décembre. ❑ **b)** Il fait très très froid en décembre.

3. ❑ **a)** Vous vous êtes baignés tous les jours ? ❑ **b)** Nous nous sommes baignés tous les jours.

4. ❑ **a)** Il fait quel temps ? ❑ **b)** Il fait beau temps !

2 Écoutez, lisez les phrases et cochez les bonnes réponses. ⊙

❑ **1.** Ils ont visité toute l'île en bus.

❑ **2.** Le frère de la dame connaît bien Taïwan.

❑ **3.** La dame déteste l'architecture moderne.

❑ **4.** Elle a beaucoup aimé cette île mais pas la cuisine !

❑ **5.** Ils sont rentrés à la fin du mois de juillet.

❑ **6.** Ils sont restés au bord de la mer.

Vocabulaire

3 Reliez.

a) Il pleut. •   • **1)** Et je déteste la chaleur!

b) Je me suis baigné tous les jours. •   • **2)** Prends un parapluie !

c) Il fait très très chaud ! •   • **3)** Attends, je regarde. Oh, il pleut !

d) Il fait quel temps ? •   • **4)** Oui, on a eu beaucoup de soleil.

e) Vous êtes bien bronzée ! •   • **5)** L'eau est à 24° !

4 Les vêtements

Complétez les phrases. Utilisez votre dictionnaire.

Il a mis une .... en cuir noir

et une .... blanche.

À la main, il a un .... gris.

Elle a un .... court et blanc,

un jean et une .... noire.

Aux mains, elle a des .... noirs.

Et aux pieds, elle a des ....

Grammaire

5 Dans les phrases suivantes, *il* est un pronom personnel (p) ou impersonnel (i) ?

a) Il a eu vingt ans hier. : ....

b) Il a eu très chaud. : ....

c) Il y a de la neige ? : ....

d) Il a plu toute la journée. : ....

e) Il a passé un examen lundi dernier. : ....

f) Il fait très froid aujourd'hui. : ....

g) Il est vraiment très beau ! : ....

h) Il fait vraiment très beau ! : ....

6 Mettez ce texte au pluriel.

Il est parti depuis six mois. Il est allé en Grèce puis en Turquie. Il a visité aussi l'Albanie, mais il n'est pas resté longtemps. Il a beaucoup voyagé, il s'est baigné, il a pris beaucoup de photos, il a rencontré des gens intéressants...

....

....

....

7 Complétez les phrases avec des pronoms toniques : *moi – toi – lui – elle – nous – vous – eux – elles.*

a) Vous habitez chez vos amis ? Oui, j'habite chez ....

b) À qui sont les chaussures vertes ? À ta sœur ? Non, elles ne sont pas à ...., elles sont à moi.

c) Tu viens avec tes parents ? Non, je viens sans ...., ils sont fatigués.

d) Le livre sur la table est pour Laura ? Oui, il est pour ...., c'est son anniversaire.

e) Je voudrais parler avec M. Dupuy, s'il vous plaît. J'ai rendez-vous avec ....

f) Vous venez au cinéma avec moi ? – Non, désolée, je ne peux pas venir avec .... J'ai un rendez-vous !

8 Qu'est-ce que Gaëlle a fait ce matin ? Utilisez les verbes : *se réveiller – se lever – se doucher – prendre son petit déjeuner – s'habiller – mettre son manteau – sortir....*

....

....

....

À vous !

9 Les saisons dans votre pays

Il fait quel temps ? Qu'est-ce qu'on fait ? Utilisez les expressions : il fait chaud / il fait froid / il fait beau / il y a du soleil / il pleut / il neige / le ciel est bleu / le ciel est tout gris / il y a des fleurs partout / on se baigne / on fait du ski / on fait du bateau / on commence les cours à l'université / on part en vacances...

a) Au printemps, ...

b) En été, ...

c) En automne, ...

d) En hiver, ...

Quand commencent les cours ?

Écoutez

1 Écoutez et cochez ce que vous entendez.

1. ☐ **a)** Salut, toi ! Tu arrives d'où ? ☐ **b)** Salut, ça va ? Tu viens d'où ?

2. ☐ **a)** Moi, j'arrive d'Argentine. Pas vous ? ☐ **b)** Moi, je viens d'Argentine. Et vous ?

3. ☐ **a)** Ils viennent tous les deux de Bordeaux. ☐ **b)** Ils étudient tous les deux à Bordeaux.

4. ☐ **a)** Ça se passe très bien ! ☐ **b)** Ça s'est bien passé.

2 Écoutez ce bulletin météo, indiquez les températures et complétez les informations.

Aujourd'hui, nous sommes le ....

Température à Paris : .... ; à Lille : .... ; à Nice : ....

Il va pleuvoir dans le nord toute ....

Il y a beaucoup de nuages dans .... et dans ....

Température de l'eau en Méditerranée : ....

Vocabulaire

3 Reliez une question à une réponse.

a) Tu as réussi tes examens ? • • **1)** La sociologie et la psychologie.

b) Qu'est-ce que tu étudies ? • • **2)** Non, c'est avant : le 15 septembre.

c) Tu es en troisième année ? • • **3)** Non, en deuxième année.

d) La rentrée universitaire, c'est en octobre ? • • **4)** Oui, ça s'est bien passé.

e) Les profs sont sympas ? • • **5)** De Bordeaux III.

f) Tu viens d'où ? • • **6)** Oui. Excepté le prof de statistiques.

4 Cherchez l'intrus.

a) un examen – un cours – un prof – une banque – un étudiant – la rentrée – une université – le bac

b) une minute – un jour – une semaine – un mois – un semestre – une idée – une année

c) neiger – la chaleur – le froid – commencer – la neige – la pluie – le soleil – le temps – pleuvoir

5 *Un an* ou *une année* ? Entourez la bonne réponse.

a) J'ai passé **un an / une année** magnifique à Berlin.

b) 2008 est **un excellent an / une excellente année** pour le champagne.

c) Vanessa a **vingt-deux ans / vingt-deux années** aujourd'hui. Bon anniversaire !

d) Il a travaillé **six ans / six années** dans une société d'informatique.

e) Vous avez habité longtemps en Italie, non ? Combien ? **Cinq ans / Cinq années** ?

f) Nous sommes le 1ᵉʳ janvier. **Bon an / Bonne année** à tous !

Grammaire

6 Révision : les prépositions
Complétez avec : *à – au – avec – dans – de – des – du – en.*

a) Il est allemand, il arrive .... Berlin pour étudier un an .... France avec le programme Erasmus.

b) Elle est .... première année de littérature française. Elle étudie .... l'université de Lyon II.

c) Je vais à la fac .... pied. Lui, il préfère aller .... bus ou .... métro, il habite loin.

d) Nous arrivons .... Portugal, nous avons vécu un an .... Lisbonne. Maintenant, nous continuons nos études .... Paris III.

e) J'ai rendez-vous .... mon amie Katia, nous allons .... musée d'Orsay.

f) – Tes copines viennent .... Chine ou .... Japon ?

..... – Elles sont toutes les deux américaines. Elles viennent .... États-Unis, ... Los Angeles.

g) Excusez-moi, aujourd'hui, le cours est .... la salle 102 ou .... la salle 103 ?

7 Révision : les pronoms toniques
Mettez ce qui est souligné au pluriel.

a) – Tu pars en vacances avec <u>ton fils</u> ? → ....

..... – Oui, je vais avec <u>lui</u> au Mexique. → ....

b) – Tu vis chez <u>ta copine</u> ? → ....

..... – Oui, j'habite chez <u>elle</u>. → ....

c) – Tu viens avec <u>moi</u> au cinéma ? → ....

..... – Désolé, je ne peux pas venir avec <u>toi</u>, je ne suis pas libre aujourd'hui. → ....

À vous !

8 Vous regardez par la fenêtre. Quel temps fait-il ? Vous vous habillez comment pour sortir ? Cherchez les mots inconnus dans votre dictionnaire.

un maillot de bain – des lunettes de soleil – un manteau – des sandales – un short – une mini-jupe – un pantalon – une écharpe – des gants – un chapeau de paille – un bonnet – des grosses chaussures – un tee-shirt – une chemise – un gros pull

Je mets ....

....

....

....

....

....

Civilisation

1 Les étudiants étrangers en France

A. D'où viennent les étudiants étrangers ?

1. Maghreb (Algérie, Maroc, Tunisie) : 24 %
2. Autres pays d'Afrique : 20 %
3. Asie : 23 %

4. Union européenne : 19 %
5. Amérique : 9 %
6. Europe (hors l'Union européenne) : 5 %

Le nombre d'étudiants européens augmente. Pourquoi ?

....

B. L'évolution depuis 2005

	Maroc	Chine	Algérie	Tunisie	Sénégal	Allemagne
2005	29 859	14 316	22 228	9 750	8 766	5 887
2009	27 051	23 590	19 171	11 177	8 948	6 774

Entre 2005 et 2009 il y a plus ou moins d'étudiants chinois ? ....

Entre 2005 et 2009 il y a plus ou moins d'étudiants marocains ? ....

2 Jobs pour étudiants
Choisissez une annonce et répondez.
Utilisez votre dictionnaire.

Entreprise : **BABY SERVICES** Lieu : Paris

Votre travail : Vous devez être libre 4 soirs par semaine à partir de 16 h 30 et le mercredi toute la journée. Vous faites le chemin entre l'école et la maison et vous restez avec l'enfant jusqu'à l'arrivée des parents (18 h 30) : devoirs, bain, dîner. Le mercredi de 8 h 30 à 17 h 30.

Salaire : 9 euros/heure.

Vous aimez les chevaux ? Vous voulez donner votre amour des chevaux aux enfants. Venez dans notre Société « Vive les vacances ».

Votre travail : Des activités autour du cheval pour des enfants de 6 à 11 ans (connaissance de l'animal, organisation de promenades)

Vous : Vous avez un diplôme d'équitation. Vous aimez travailler avec les autres

Haute Savoie – Période : du 1er juillet au 30 août.

Je cherche un(e) étudiant(e) pour garder mes trois chiens chez moi quand je ne suis pas à la maison, ou pour sortir avec eux le matin.

Vous : vous aimez les animaux, vous avez de l'autorité.

9 euros/heure.

Photographe recherche
jolie jeune fille
18-25 ans
pour photos d'art.

....
....
....
....
....

Avant, c'était très différent

OBJECTIFS

- Parler d'événements passés (au passé composé), décrire leurs circonstances (à l'imparfait)
- Comprendre un fait divers
- Parler des médias

Vocabulaire

• Des noms

un acteur (m.), une actrice (f.)
un autographe (m.)
une chambre (f.)
un chapeau (m.)
de l'eau (f.)
un embouteillage (m.)
une époque (f.)
un fait divers (m.)
une fête (f.)
un gardien (m.) / une gardienne (f.)
les gens (m. pl.)
un homme (m.)
un hôtel (m.)
une inondation (f.)
janvier (m.)
un journal (m.)
une lettre (f.)
un lycée (m.)
un moniteur (m.)
une montagne (f.)
un nom (m.)
une nuit (f.)
la police (f.)
un policier (m.)
un pont (m.)
un producteur (m.) /
une productrice (f.)
une radio, la radio (f.)
un reportage (m.)
une robe (f.)
un rôle (m.)
un serveur (m.) / une serveuse (f.)
le ski (m.)
un souvenir (m.)
un téléphone portable (m.)
une vache (f.)
un voisin (m.) / une voisine (f.)
un voleur (m.) / une voleuse (f.)

• Des adjectifs

autre
classique
différent(e)
élégant(e)
énorme
important(e)
impossible
jaune
muet / muette
noir(e)
précieux / précieuse
quelques
rouge
seul(e)
timide
vieux / vieille

• Des verbes

accepter (quelque chose)
boire (quelque chose)
changer
circuler
devenir
devoir
dire (quelque chose)
se disputer (avec quelqu'un)
s'échapper
écouter
écrire (quelque chose)
entendre
entrer
essayer
exister
interroger (quelqu'un)
inviter (quelqu'un)
jouer (dans un film)
se marier
passer

proposer (quelque chose à quelqu'un)
savoir
sortir
tuer (quelqu'un)

• Des mots invariables

avant
d'abord
déjà
en face de
enfin
moins.... que
parce que
plus.... que
plutôt
pourquoi ?
sous
tranquillement
vraiment

• Pour communiquer

Ça alors !
Et alors ?
Dis-moi...
Hein ?
Pas d'accord !

• Manières de dire

comme ça
Fais attention !
il y a juste + *durée*
tomber amoureux de quelqu'un
en plein soleil, en plein jour,
en pleine nuit...
pas terrible (= *pas très beau,
pas très intéressant*)
prendre un bain
tout le temps (= *toujours*)

C'était un film des années 30

Écoutez

1 Écoutez et cochez ce que vous entendez.

1. ❏ **a)** Et Julie, tu la vois ?   ❏ **b)** Et Julia, tu l'as vue ?

2. ❏ **a)** Non, je ne les ai pas vus.   ❏ **b)** Non, je ne les ai pas lus.

3. ❏ **a)** Tu le trouves comment, Pierre ? Bien ?   ❏ **b)** Tu l'as trouvé comment, Pierre ? Bien ?

4. ❏ **a)** Désolé, je ne sais pas du tout !   ❏ **b)** Désolé, je ne savais pas du tout !

2 Écoutez ces cinq phrases. Le verbe est à l'imparfait. Entourez son infinitif.

1. être	avoir	pouvoir	vouloir	aller	savoir	mettre	prendre
2. être	avoir	pouvoir	vouloir	aller	savoir	mettre	prendre
3. être	avoir	pouvoir	vouloir	aller	savoir	mettre	prendre
4. être	avoir	pouvoir	vouloir	aller	savoir	mettre	prendre
5. être	avoir	pouvoir	vouloir	aller	savoir	mettre	prendre

3 Écoutez et complétez.

Quand Alexis .... petit, il .... devenir footballeur professionnel. Il .... jouer au foot avec ses copains, mais ses parents lui .... qu'il .... d'abord travailler, terminer ses études, passer son bac. C'............................... un bon élève, il .... de bonnes notes à l'école. Mais il .... à rêver toutes les nuits qu'il .... dans l'équipe de France et que les Bleus .... la Coupe du monde, comme en 1998 .

Vocabulaire

4 Quel nom correspond à l'adjectif ? Utilisez votre dictionnaire.

Exemple : beau, belle → la beauté

a) différent(e) → la ....

b) difficile → la ....

c) élégant(e) → l' ....

d) jeune → la ....

e) libre → la ....

f) possible → la ....

g) vieux, vieille → la ....

5 Cherchez l'intrus.

a) des chaussures – un souvenir – un jean – un tee-shirt – une robe – une écharpe – un chapeau

b) longtemps – heureusement – maintenant – hier – demain – aujourd'hui – plus tard

Grammaire

6 Écrivez l'adverbe correspondant à l'adjectif, comme dans l'exemple.

Exemple : complet, complète → complètement

a) délicieux, délicieuse → ....

b) exact, exacte → ....

c) précieux, précieuse → ....

d) direct, directe → ....

e) long, longue → ....

f) premier, première → ....

7 Complétez avec : *exactement – directement – facilement – complètement.*

a) – Tu as fait les exercices .... ?

  – Oh oui, pas de problème !

b) – Tu as fini ton travail ?

  – Oui, ..., j'ai tout fini !

c) – Le train arrive à quelle heure ?

  – À 7 h 14 ....

d) – Pour aller à la gare, s'il vous plaît ?

  – Prenez la première à gauche et vous arrivez à la gare ....

8 Complétez à l'imparfait avec les verbes *aller – avoir – être – faire – mettre – travailler – vivre.*

➤ Vérifiez dans le précis grammatical, p. 155-158.

a) Mon grand-père .... très élégant. Quand il .... au théâtre, il .... toujours un smoking et un chapeau.

b) Avant, nous .... à l'école à bicyclette. Souvent, il .... un peu froid mais c'.. bien !

c) Quand il .... petit, il .... en Suisse avec ses parents. Son père .... dans une banque à Genève.

d) Avant, nous .... une grande maison. Notre jardin .... magnifique. Maintenant, nous vivons dans un appartement.

9 On parle de quoi ? Cochez la bonne réponse.

1. Moi, vraiment, je les aime beaucoup

❏ **a)** la nouvelle robe de Sonia
❏ **b)** les copines d'Alexis
❏ **c)** le nouveau film d'Almodovar

2. Tu la veux ? Je te la prête !

❏ **a)** mon écharpe rouge
❏ **b)** mes chaussures noires
❏ **c)** mon jean noir

3. Je le connais depuis longtemps.

❏ **a)** tes parents
❏ **b)** la maison de Jenny
❏ **c)** mon copain Nick

À vous !

10 La mode française en 1900

a) Décrivez cette image.

....

b) Cherchez une photo ou un dessin de la mode en 1900 dans votre pays.
Comparez avec la photo de la mode en France.

Avant, c'était comment ?

Écoutez

1 Écoutez et cochez ce que vous entendez.

1. ❏ **a)** C'était il y a très longtemps.　　　　❏ **b)** C'était il n'y a pas longtemps.

2 . ❏ **a)** Je le vois très souvent.　　　　　　❏ **b)** Je le voyais très souvent.

3. ❏ **a)** C'est vraiment très intéressant.　　　 ❏ **b)** C'était vraiment intéressant.

4. ❏ **a)** Avant, on sortait tous les dimanches.　❏ **b)** Avant, je sortais tous les dimanches.

2 Écoutez et complétez.

En 1900, il y avait surtout des voitures tirées par des chevaux mais les automobiles ....

déjà. Et elles .... aller très vite ; on organisait des courses de vitesse. En 1899,

on pouvait déjà dépasser les 100 kilomètres/heure.

Au début, les gens n'.. pas les automobiles : elles ....

trop de bruit, elles .... mauvais, elles étaient dangereuses... Mais les gens étaient

aussi fascinés et tout le monde .... voir passer les « monstres » pendant les courses.

Et bien sûr, il y avait beaucoup d'accidents. Par exemple, en 1903, pendant la course Paris-Madrid, il y a eu

beaucoup de morts et la course s'est arrêtée à Bordeaux.

LA COURSE PARIS-MADRID
Terrible accident d'automobile

Vocabulaire

3 Complétez avec *tout le monde – les gens*.

a) Maintenant, ... utilise Internet, Facebook... Avant, ... écrivaient des lettres, lisaient les journaux,
allaient chez leurs amis.

b) .... est là ? Oui ? Alors, on commence !

c) Aujourd'hui, presque .... prend des photos sur son portable. Avant, ... utilisaient des appareils photo.

Grammaire

4 Les valeurs de l'imparfait
Dans les phrases suivantes, est-ce que l'imparfait :
- indique les <u>circonstances</u>, la situation qui entourent un événement passé ? (C)
- sert à décrire des <u>habitudes</u>, quelque chose qui se répète dans le passé ? (H)

a) Hier, quand je me suis réveillé(e), il *faisait* beau, le soleil *brillait*, le ciel *était* tout bleu. ....

b) Avant, il *buvait* son petit whisky tous les jours. Maintenant, c'est fini. Il boit de l'eau. ....

c) Quand j'*étais* au lycée, je me *levais* tous les matins à 6 h 30. ....

d) Quand je suis arrivée chez moi, mon fils *dormait* tranquillement. ....

5 Trouvez une question possible.

a) – .... ?

– En 1975 ? Nous habitions à Madrid.

b) – .... ?

– Oui, il travaillait encore. Il était professeur au lycée français de Madrid. Et moi, j'étais photographe de mode pour un journal espagnol.

c) – .... ?

– Dans un appartement très sympa, dans le centre ville. On vivait là tous les quatre, nous deux et tes oncles.

d) – .... ?

– Non, ta mère n'existait pas encore. Elle est née plus tard, en 1980.

e) – .... ?

– Non, quand elle est née, nous habitions à Lyon, comme maintenant. Nous sommes revenus en France en 1978.

6 Complétez avec *depuis – il y a*.

a) Nous vivons au Japon .... six ans.

b) Ils sont mariés .... un an.

c) Ils se sont mariés .... exactement un an aujourd'hui.

d) Elle travaille dans notre entreprise .... longtemps.

e) Je n'ai pas vu mes parents .... trois semaines parce que j'ai beaucoup de travail.

f) Je l'ai rencontré une seule fois, ... deux ou trois ans.

7 Mettez les phrases dans l'ordre.

a) Et ils ont maintenant plusieurs petits-enfants.

b) Elle était encore étudiante ; lui travaillait dans un journal.

c) Et puis, ils ont eu quatre enfants, deux filles et deux garçons.

d) Toute la famille est venue au mariage.

e) En septembre 1960, Philippe a rencontré Renée.

f) Elle avait vingt ans, lui vingt-cinq ans.

g) Ils sont donc mariés depuis plus de cinquante ans.

h) Ils se sont mariés en 1962.

→ e – ....

À vous !

8 Qu'est-ce qui n'existait pas en 1910 en France ? Entourez les noms. Vérifiez sur Internet.

a) le téléphone

b) les voitures

c) les ordinateurs

d) le métro

e) le droit de vote des femmes

f) l'avion

g) la Tour Eiffel

h) les lunettes

i) le scanner

j) les DVD

k) la télévision

l) l'électricité

m) le train

n) le Centre Pompidou

o) le palais de l'Élysée

Il est devenu célèbre !

Écoutez

1 Écoutez et cochez ce que vous entendez. 🔘

1. ☐ **a)** Elle est plus belle qu'avant.   ☐ **b)** Elle est plus belle que lui.

2. ☐ **a)** Je l'ai rencontré à Paris.   ☐ **b)** On s'est rencontrés à Paris.

3. ☐ **a)** Très vite, il est devenu célèbre.   ☐ **b)** Il est devenu célèbre très vite.

4. ☐ **a)** Elle habite juste en face de chez moi.   ☐ **b)** Il habite juste à côté de chez moi.

2 Écoutez, lisez et corrigez les erreurs du texte. 🔘

Un monument du cinéma français : Catherine Deneuve

Catherine Deneuve est née en 1946. Elle obtient son premier rôle très jeune mais le cinéma ne l'intéresse pas beaucoup.
C'est en 1964 qu'elle a son premier grand succès dans le film de Jacques Demy, *Il pleut toujours à Cherbourg*, qui obtient la Palme d'Or à Cannes. En 1967, elle tourne, toujours avec Jacques Demy, *Les Demoiselles de Rochefort*.
Les années 70 sont difficiles pour Catherine Deneuve mais elle tourne avec de grands metteurs en scène : Buñuel, Polanski, Truffaut...
En 1971, elle rencontre Marcello Mastroianni. C'est l'amour fou. Leur fille Valentina naît en 1972.
En 1981, elle tourne *Le Dernier Métro*, avec Michaël Douglas. C'est son film préféré mais il n'a pas beaucoup de succès.
Aujourd'hui, Catherine Deneuve continue son métier d'actrice : elle a tourné dans de nombreux films depuis les années 2000-2010.

Vocabulaire

3 Cherchez l'intrus.

a) un film – le cinéma – un rôle – un acteur – une Palme d'or – un voisin – jouer   **b)** un café – un thé – un whisky – de l'eau – du lait – un chocolat – un reportage - un coca

4 Reliez.

a) Je vais rester à Bruxelles •   • depuis sa Palme d'Or à Cannes.

b) Ils se sont rencontrés •   • pendant un semestre à la fac.

c) Elle a étudié le français •   • un an pour mon travail à la Commission européenne.

d) Il est midi et ils dorment •   • neuf heures, comme un bébé !

e) J'ai dormi •   • depuis dix heures du soir.

f) Il est très célèbre •   • il y a vingt ans et sont toujours restés amis.

Grammaire

5 Imparfait ou passé composé ? Conjuguez le verbe à l'infinitif entre parenthèses.

a) Quand tu .... (*téléphoner*), j(e) .... (*être*) sous la douche.

b) Quand nous .... (*sortir*) ce matin, à huit heures, il .... (*pleuvoir*) et il .... (*faire*) très froid.

c) Avant, il .... (*adorer*) la moto. Mais, l'année dernière il .... (*avoir*) un accident. Maintenant, il va à pied.

d) Avant, elle .... (*passer*) toutes ses vacances à la plage. Mais il y a trois ans, elle .... (*rencontrer*) son copain.
Il adore la montagne. Alors, elle va avec lui dans les Alpes.

6 Complétez le texte avec ces phrases.

a) *le directeur n'était pas content.*

b) *Il faisait un froid terrible ! Moins dix !*

c) *Les autobus ne marchaient pas.*

Hier matin, quand je suis sorti de chez moi, quelle horreur ! .... Je suis rentré et j'ai mis mon écharpe et mes grosses chaussures.

Il a commencé à neiger et tous les gens étaient morts de froid. .... Alors, je suis allé au travail à pied : j'ai mis plus d'une heure !

Quand je suis arrivé, vers dix heures, ...

7 Vous lisez cette phrase : *Il a vécu en Italie il y a dix ans*. Cela signifie que... Entourez la bonne réponse.

a) On ne sait pas s'il vit encore en Italie.

b) On sait qu'il vit encore en Italie.

c) On sait qu'il ne vit pas en Italie maintenant.

d) On sait qu'il a vécu pendant dix ans en Italie.

8 Complétez avec un complément d'objet direct (*l'* – *le* – *la* – *les*) ou un complément d'objet indirect (*lui* – *leur*).

a) – Elle voit encore ses amis de lycée ?

– Oui, elle .... voit encore. Elle .... téléphone souvent.

b) – Avant, vous invitiez souvent vos amis chez vous ?

– Bien sûr, je .... invitais toutes les semaines. Et pendant les vacances, on .... envoyait des cartes postales ou des lettres.

c) – Ta grand-mère écoutait la radio ?

– Non, elle préférait lire. Ah ! Les livres, elle .... adorait. Et ses enfants aussi ; ils aimaient beaucoup les histoires.

Alors, elle .... lisait des contes tous les soirs.

d) – Tu as vu Alexandre ?

– Non, je .... ai écrit deux ou trois fois, mais je ne .... ai pas vu depuis longtemps. Et toi, tu .... as vu ?

À vous !

9 Commentez ces chiffres en six ou sept lignes, comme dans l'exemple. Utilisez votre dictionnaire.

Avant, la vie en France était très différente. Il y avait peu de confort dans les logements (maisons ou appartements).

Logements équipés de...	1954	1962	2011
l'eau courante	60 %	79 %	99,9 %
une douche ou une baignoire	10 %	29 %	98 %
des WC intérieurs	26 %	41 %	98 %
un réfrigérateur	7,5 %	40 %	98 %
un lave-linge	8,4 %	30 %	94 %
un lave-vaisselle	0 %	0 %	52 %

Exemple : Il y a cinquante ans, tout le monde n'avait pas l'eau courante et il n'y avait pas beaucoup de douches ou de baignoires.

....

....

....

....

10 Racontez comment les gens vivaient dans votre pays il y a cinquante ou soixante ans.

Faits divers

Écoutez

1 Écoutez et cochez ce que vous entendez.

1. ❑ **a)** Les policiers ont interrogé les voisins.   ❑ **b)** Les policiers ont interrogé ma voisine.

2. ❑ **a)** On a passé la nuit dans un hôtel.   ❑ **b)** Ils sont entrés la nuit dans un hôtel.

3. ❑ **a)** Je ne les vois pas souvent.   ❑ **b)** Je ne leur écris pas souvent.

4. ❑ **a)** Pourquoi tu ne me réponds pas ?   ❑ **b)** Pourquoi tu ne lui réponds pas ?

2 Écoutez. Le journaliste parle des unes des journaux (la une est la première page d'un journal). On parle de quels journaux ?

❑ *Le Monde*   ❑ *Le Figaro*   ❑ *Libération*   ❑ *Ouest-France*

❑ *Sud-Ouest*   ❑ *La Voix du Nord*   ❑ *L'Est Républicain*   ❑ *Nice-Matin*

3 Écoutez ce bulletin d'informations et répondez par Vrai ou Faux.

1. Il est six heures du matin.   ❑ Vrai   ❑ Faux

2. Il y a eu un accident de train en Corée du Nord.   ❑ Vrai   ❑ Faux

3. On parle des prochaines élections aux États-Unis.   ❑ Vrai   ❑ Faux

4. À Bruxelles, 100 000 personnes vont venir protester contre la politique agricole commune.   ❑ Vrai   ❑ Faux

5. Il a beaucoup neigé en Bretagne et les conséquences sont dramatiques.   ❑ Vrai   ❑ Faux

Vocabulaire

4 Reliez une question et une réponse.

1. Pourquoi le bébé ne peut pas dormir ?   •   • **a)** parce qu'il va pleuvoir.

2. Pourquoi elle est allée à pied à son travail ?   •   • **b)** parce que je ne les aime pas.

3. Pourquoi vous avez pris votre parapluie ?   •   • **c)** parce qu'elle est très chère.

4. Pourquoi tu ne mets pas tes chaussures jaunes ?   •   • **d)** parce qu'il fait très chaud.

5. Pourquoi vous n'avez pas acheté la Mercedes ?   •   • **e)** parce qu'il y avait des embouteillages.

5 Donnez le contraire des mots soulignés.

a) C'est tout à fait possible. ≠ ....

b) Il est très jeune. ≠ ....

c) Il est moins beau qu'avant. ≠ ....

d) Tout le monde l'adore ! ≠ ....

e) Le cours commence quand ? ≠ ....

f) Il est entré à quelle heure ? ≠ ....

g) L'exercice n'est pas très facile. ≠ ....

h) Le train arrive à 16 h 50. ≠ ....

i) Un café et un peu de sucre. ≠ ....

j) Il a réussi son examen. ≠ ....

Grammaire

6 **Amir interroge Sabine sur son amie Élise. Proposez une question possible.**

a) – .... ?
– Élise ? Je la connais depuis dix ou douze ans.

b) – .... ?
– Non, c'était avant, quand nous étions au lycée.

c) – .... ?
– Comme maintenant. Non, elle n'a pas beaucoup changé.

d) – .... ?
– Oui, depuis deux ans. Et ils ont un bébé adorable.

e) – .... ?
– Pas très souvent. Elle a beaucoup de travail et moi aussi. Mais on se téléphone.

À vous !

7 **Lisez ce (vrai) fait divers. Répondez aux questions. Utilisez votre dictionnaire.**

PARIS – Hier, à 17 heures, un bébé de 18 mois est tombé du 6ᵉ étage d'un immeuble parisien. Il est tombé sur le store du café juste au-dessous avant d'être rattrapé par un passant. Le bébé était avec sa sœur de 5 ans ; les parents n'étaient pas là. Ils faisaient des courses. Miracle ! Un médecin était là ; il se promenait avec son fils, il était exactement devant l'immeuble. Le garçon voit tomber l'enfant et appelle son père. Le bébé tombe, rebondit sur le store du café et le père le rattrape au vol.

Philippe B., le médecin, a déclaré : « Mon fils m'a dit : "Papa, regarde ! Le bébé va tomber". J'ai regardé. J'ai eu un bon réflexe. Je l'ai attrapé dans mes bras comme un ballon de rugby ! Il a pleuré mais pas beaucoup. Je lui ai parlé doucement et il s'est endormi dans mes bras ».

a) Pourquoi c'est un « miracle » ?
....
....
....
....

b) Pourquoi les parents n'étaient pas là ?
....
....
....
....
....

8 **Vous êtes journaliste. Vous écrivez un reportage (4 à 5 lignes) sur ces deux faits divers.**

1. Un crocodile dans la Seine !

2. Hold-up dans une bijouterie à Nice !

Civilisation

1 Cherchez sur Internet et répondez par Vrai ou Faux.

a) *Le Monde* existe depuis 1918. ☐ Vrai ☐ Faux

b) *Paris-Match* est un journal économique. ☐ Vrai ☐ Faux

c) *Le Soir* est un journal belge. ☐ Vrai ☐ Faux

d) *Libération* est un journal de gauche. ☐ Vrai ☐ Faux

e) *20 minutes* est un journal gratuit (= 0 euro). ☐ Vrai ☐ Faux

f) *L'Express* est un journal quotidien (il paraît tous les jours). ☐ Vrai ☐ Faux

2 Reliez.

a) un journal qui paraît tous les jours •   • mensuel

b) un journal qui paraît toutes les semaines •   • quotidien

c) un journal qui paraît tous les mois •   • annuel

d) un journal qui paraît tous les trimestres •   • trimestriel

e) un journal qui paraît deux fois par an •   • hebdomadaire

f) un journal qui paraît tous les ans •   • semestriel

3 Donnez des exemples de votre pays.

a) deux quotidiens : .... ; ....

b) un hebdomadaire : ....

c) un mensuel de mode : ....

4 Regardez ce programme et complétez les phrases : quelle émission, quelle chaîne, quel horaire ?

a) J'adore tous les sports mais mon sport préféré, c'est le foot.

Ce soir, je vais regarder .

....

sur .... à .... h.

b) Moi, j'aime l'histoire et la politique. Spécialement l'histoire de la France.

Ce soir, il y a une émission très intéressante :

....

C'est sur .... à .... h.

c) Moi, ma passion, c'est les séries américaines ! J'adore ça !

Je vais regarder

.... ,

sur .... à .... h.

d) Moi, j'aime le jeu, les casinos, les cartes : poker, baccara...

Je gagne souvent de l'argent.

Je vais regarder ....

C'est sur .... à .... h.

PROGRAMME TV	CE SOIR	
TF1	20 h 35 **Football : Bayern Munich/Lyon** Sport	22 h 55 **Les experts : Manhattan** Série télé
France 2	20 h 35 **Pas si simple** Téléfilm	22 h 10 **L'objet du scandale** Émission culturelle
France 3	20 h 35 **Des racines et des ailes** Documentaires	22 h 50 **… Et De Gaulle créa la Cinquième République** Documentaire - histoire
CANAL +	20 h 50 **Chéri** Cinéma	22 h 20 **Poker** Bellago Cup IV
ARTE	20 h 35 **L'homme qui a fait tomber Nixon** Documentaire - histoire	22 h 20 **Falling** Cinéma
M6	20 h 40 **Nouvelle Star** Divertissement	23 h **Nouvelle Star, ça continue** Divertissement

Exploitation des vidéos

Résumé :

Pauline et Sarah se rencontrent pour la première fois à Montmartre.

OBJECTIFS
- Se repérer dans la langue française
- Saluer, demander quelque chose, remercier
- Se présenter, poser une question, s'excuser

Activités d'observation

1 Dites si les phrases suivantes sont vraies ou fausses.

a) Pauline et Sarah se rencontrent.

❏ VRAI   ❏ FAUX

b) Au début, Sarah est au téléphone.

❏ VRAI   ❏ FAUX

c) Elles parlent debout.

❏ VRAI   ❏ FAUX

d) Elles sont joyeuses.

❏ VRAI   ❏ FAUX

2 Entourez la bonne réponse.

1. Elles commencent par :
a) jongler.
b) se faire la bise.
c) aller à la boulangerie.

2. Elles sont :
a) sur un escalier.
b) dans un centre commercial.
c) dans un bar.

3. La météo est :
a) pluvieuse.
b) nuageuse.
c) ensoleillée.

Activités de compréhension

3 Dites si les phrases suivantes sont vraies ou fausses.

a) Sarah demande à Pauline comment elle va.

❏ VRAI   ❏ FAUX

b) Sarah habite à Paris depuis longtemps.

❏ VRAI   ❏ FAUX

c) Sarah n'aime pas la cuisine sénégalaise.

❏ VRAI   ❏ FAUX

d) Pauline connaît très bien Paris.

❏ VRAI   ❏ FAUX

4 Entourez la bonne réponse.

1. Le père de Sarah est :
a) français.
b) espagnol.
c) sénégalais.

2. Pendant que Pauline téléphone, Sarah va :
a) aux toilettes.
b) dans un café.
c) à la boulangerie.

3. À la fin, elles vont dans un café car :
a) elles ont froid.
b) elles ont soif.
c) elles sont fatiguées.

Exploitation des vidéos

UNITÉ 2 — La musique que j'aime

Résumé :

Sarah emmène Pauline chez elle. Elle lui présente Antoine, son colocataire.
Ils font connaissance.

Activités d'observation

1 Dites si les phrases suivantes sont vraies ou fausses.

a) Antoine mixe de la musique.

❏ VRAI   ❏ FAUX

b) Pauline s'assied à côté d'Antoine.

❏ VRAI   ❏ FAUX

c) Sarah apporte le café.

❏ VRAI   ❏ FAUX

d) Antoine part avec les filles.

❏ VRAI   ❏ FAUX

2 Entourez la bonne réponse.

1. Antoine travaille sa musique avec :
a) une table de mixage.
b) un ordinateur.
c) une guitare.

2. Antoine est assis sur :
a) un canapé.
b) un fauteuil.
c) une table.

3. Sarah apporte :
a) du jus d'orange.
b) du thé.
c) du café.

Activités de compréhension

3 Dites si les phrases suivantes sont vraies ou fausses.

a) Antoine adore la techno.

❏ VRAI   ❏ FAUX

b) Antoine préfère la voiture à la moto.

❏ VRAI   ❏ FAUX

c) Pauline a une amie qui fait de la musique classique.

❏ VRAI   ❏ FAUX

d) Paul fête son anniversaire.

❏ VRAI   ❏ FAUX

4 Entourez la bonne réponse.

1. Pauline aime :
a) jouer de la musique.
b) aller au cinéma.
c) prendre des photos.

2. Paul est content car :
a) c'est son anniversaire.
b) il voyage.
c) sa photo est dans un magazine.

3. Paul ressemble à :
a) un chanteur.
b) un acteur.
c) un sportif.

Exploitation des vidéos

UNITÉ 3 On fait les courses

Résumé :

Antoine et Sarah font leurs courses sur un marché.

Activités d'observation

1 Dites si les phrases suivantes sont vraies ou fausses.

a) Sarah porte trois sacs de courses.
❏ VRAI ❏ FAUX

b) Antoine porte un filet de bananes.
❏ VRAI ❏ FAUX

c) Ils discutent avec un commerçant.
❏ VRAI ❏ FAUX

d) La scène se passe dans la rue.
❏ VRAI ❏ FAUX

2 Entourez la bonne réponse.

1. Le commerce derrière eux est :
a) un magasin de fruits et légumes.
b) une boulangerie.
c) un bureau de tabac.

2. L'homme qu'ils interpellent est :
a) un passant.
b) un commerçant.
c) un agent de police.

3. Ils se situent :
a) dans une impasse.
b) dans une boutique.
c) à une intersection.

Activités de compréhension

3 Dites si les phrases suivantes sont vraies ou fausses.

a) Ils ont acheté de l'ail.
❏ VRAI ❏ FAUX

b) Sarah veut de l'ananas en boîte.
❏ VRAI ❏ FAUX

c) Ils cherchent un supermarché.
❏ VRAI ❏ FAUX

d) La poissonnerie est proche d'un métro.
❏ VRAI ❏ FAUX

4 Entourez la bonne réponse.

1. À Guérande, on fait :
a) des oranges.
b) de l'ail.
c) du sel.

2. Le Mont Saint-Michel se trouve :
a) en Normandie.
b) à la montagne.
c) en Bretagne.

3. La meilleure poissonnerie se trouve :
a) plus loin sur la gauche.
b) tout droit.
c) tout de suite à droite.

UNITÉ 4 Petit déjeuner à Paris

Résumé :

Antoine, Pauline et Sarah prennent le petit déjeuner ensemble.

Activités d'observation

1 Dites si les phrases suivantes sont vraies ou fausses.

a) Le petit déjeuner est prêt.

❑ VRAI   ❑ FAUX

b) Il est 16 heures.

❑ VRAI   ❑ FAUX

c) Antoine apporte le thé.

❑ VRAI   ❑ FAUX

d) Ils sont en pyjama.

❑ VRAI   ❑ FAUX

2 Entourez la bonne réponse.

1. Qu'est-ce qu'il y a sur la table ?
a) du jambon.
b) des œufs.
c) du jus d'orange.

2. Le temps de ce matin est :
a) brumeux.
b) ensoleillé.
c) orageux.

3. Antoine arrive :
a) après les filles.
b) en même temps que les filles.
c) avant les filles.

Activités de compréhension

3 Dites si les phrases suivantes sont vraies ou fausses.

a) Pauline demande du café.

❑ VRAI   ❑ FAUX

b) Antoine a mangé en famille hier soir.

❑ VRAI   ❑ FAUX

c) Antoine a bien digéré le repas de la veille.

❑ VRAI   ❑ FAUX

d) Le frère d'Antoine a une fille.

❑ VRAI   ❑ FAUX

4 Entourez la bonne réponse.

1. La sœur de l'oncle d'Antoine est :
a) sa mère.
b) sa tante.
c) sa cousine.

2. Pauline s'en va pour :
a) travailler.
b) aller chez son oncle.
c) retrouver Paul à son bureau.

3. Antoine était :
a) dans son lit.
b) devant la télévision.
c) sous la douche.

Exploitation des vidéos

UNITÉ 5 — La vie d'étudiant

Résumé :

Pauline et Sarah rejoignent Antoine à la sortie de la faculté.
Ils parlent de leurs études.

Activités d'observation

1 Dites si les phrases suivantes sont vraies ou fausses.

a) Pauline et Sarah arrivent ensemble.
❏ VRAI ❏ FAUX

b) Les passants portent des manteaux.
❏ VRAI ❏ FAUX

c) Il pleut.
❏ VRAI ❏ FAUX

d) Il n'y a pas beaucoup de soleil.
❏ VRAI ❏ FAUX

2 Entourez la bonne réponse.

1. De quelle saison s'agit-il ?
a) C'est le printemps.
b) C'est l'automne.
c) C'est l'hiver.

2. Les filles sont sorties :
a) de l'université.
b) du lycée.
c) du collège.

3. Pauline porte :
a) une écharpe.
b) un manteau.
c) un bonnet.

Activités de compréhension

3 Dites si les phrases suivantes sont vraies ou fausses.

a) Le premier semestre d'Antoine a été mauvais.
❏ VRAI ❏ FAUX

b) Antoine est chef d'entreprise.
❏ VRAI ❏ FAUX

c) Pauline et Sarah ont les mêmes cours.
❏ VRAI ❏ FAUX

d) Sarah a été à la montagne l'an dernier.
❏ VRAI ❏ FAUX

4 Entourez la bonne réponse.

1. Cet après-midi, Antoine a prévu :
a) d'aller au travail.
b) d'aller à la bibliothèque.
c) de finir son rapport de stage.

2. Quelles sont les études de Pauline ?
a) Un master de philosophie.
b) Une licence de droit.
c) Une prépa pour une école vétérinaire.

3. Pour les vacances, Sarah préfère :
a) aller à la montagne.
b) aller à la campagne.
c) aller à la mer.

Exploitation des vidéos

UNITÉ 6 — Faits divers

Résumé :

Pauline et Sarah rejoignent Antoine dans sa chambre.
Ils échangent des histoires étranges.

Activités d'observation

1 Dites si les phrases suivantes sont vraies ou fausses.

a) Antoine écoutait la radio.

❏ VRAI   ❏ FAUX

b) Sarah porte un chemisier vert.

❏ VRAI   ❏ FAUX

c) Il y a un coussin rouge derrière Antoine.

❏ VRAI   ❏ FAUX

d) Pauline porte un jean.

❏ VRAI   ❏ FAUX

2 Entourez la bonne réponse.

1. De quelle couleur sont les cheveux de Pauline ?
a) Ils sont bruns.
b) Ils sont blonds.
c) Ils sont roux.

2. Antoine porte :
a) un pull-over bleu.
b) un tee-shirt jaune.
c) un polo à rayures.

3. Qui porte des chaussures ?
a) Sarah.
b) Antoine.
c) Pauline.

Activités de compréhension

3 Dites si les phrases suivantes sont vraies ou fausses.

a) Antoine regardait le journal télévisé.

❏ VRAI   ❏ FAUX

b) Le gros bruit a été provoqué par la combustion du cahier.

❏ VRAI   ❏ FAUX

c) Il y a une bijouterie sur la place Vendôme.

❏ VRAI   ❏ FAUX

d) Un seul voleur a été arrêté par la police.

❏ VRAI   ❏ FAUX

4 Entourez la bonne réponse.

1. Le gardien de nuit du lycée était :
a) agent de police.
b) moniteur de ski.
c) professeur.

2. Les élèves ont brûlé le cahier de textes car :
a) ils n'avaient pas fait leurs devoirs.
b) ils ont eu une retenue.
c) ils voulaient s'amuser.

3. Pourquoi le complice de la voleuse de bijoux était-il dehors ?
a) Pour monter la garde.
b) Pour cambrioler une autre bijouterie.
c) Pour téléphoner au vendeur.

Lexique

1. Les mots sont suivis du numéro de la leçon dans laquelle ils apparaissent la première fois.
2. Abréviations : f) = féminin ; m. = masculin – **En gras :** les manières de dire.

A
1. à bientôt ! 1
2. accepter 23
3. acheter 9
4. acteur/actrice un(e) 23
5. addition *une* 15
6. adorer 5
7. adresse *une* 4
8. à droite 11
9. aéroport *un* 8
10. à gauche 11
11. âge *un* 6
12. aimer 5
13. allemand(e) 4
14. aller 7
15. allô ! 1
16. alors 3
17. américain(e) 3
18. ami(e) *un(e)* 6
19. amuser (s') 20
20. an *un* 6
21. ananas *un* 9
22. anglais(e) 4
23. animal *un* 17
24. année *une* 20
25. anniversaire *un* 6
26. à pied (aller à -) 11
27. appeler 13
28. appeler (s') 2
29. après 11
30. après-midi *un* 14
31. arobase *un* 4
32. arriver 8
33. à tout à l'heure 7
34. attention ! 13
35. aujourd'hui 15
36. au revoir 1
37. aussi 2
38. autographe *un* 23
39. autre 21
40. avant 22
41. avec 7
42. avoir 6
B
43. bac *le* 17
44. baguette *une* 1
45. baigner (se) 19
46. bain (prendre un) 24
47. banane *une* 9
48. banque *une* 11
49. barbe *une* 8
50. bateau (faire du) 19
51. bavarder 15
52. beau/belle 6
53. beau (il fait -) 19
54. beaucoup 5
55. beurre *du* 10
56. bien 1
57. bien sûr 3
58. billet *un* 12
59. blanc/blanche 8
60. bleu(e) 18
61. blond(e) 8
62. boire 24
63. boîte *une* 9
64. bon/ne 7

65. bonjour 1
66. bougie *une* 10
67. bouteille *une* 10
68. bravo ! 4
69. bronzé(e) 19
70. brun(e) 8
71. bureau *un* 13
72. bus, autobus *un* 11
C
73. ça 5
74. ça alors ! 23
75. cadeau *un* 6
76. café *un* 9
77. ça dépend 11
78. ça s'arrose 10
79. ça s'est bien passé 20
80. ça suffit 19
81. ça va 1
82. célèbre 6
83. célibataire 17
84. cerise *une* 9
85. c'est combien ? 9 9
86. chaleur *la* 19
87. chambre *une* 21
88. chance *de la* 18
89. changer 23
90. chapeau *un* 21
91. château *un* 12
92. chaud (il fait -) 19
93. chaussure *une* 19
94. cher/chère 9
95. chercher 11
96. cheveu *un* 8
97. chez 12
98. chinois(e) 4
99. chocolat *du* 10
100. cinéma *un* 5
101. circuler 22
102. classique 21
103. comme 10
104. comme ça 21
105. comme d'habitude 19
106. commencer 20
107. comment 1
108. comment ça va ? 1
109. concert *un* 7
110. confiture *de la* 13
111. connaître 3
112. continuer 20
113. copain *un*, copine *une* 15
114. cours *un* 20
115. courses *les* (f.) 10
116. croissant *un* 1
117. d'abord 22
D
118. d'accord ! 5
119. dans 3
120. danser 5
121. debout 13
122. décembre 12
123. décorateur *un* 18
124. déjà 23
125. déjeuner 14
126. délicieux/délicieuse 9
127. demain 8
128. demander 11

129. demi(e) 13
130. dépêcher (se) 13
131. depuis 18
132. dernier/dernière 15
133. désolé(e) 4
134. dessert *un* 10
135. détester 5
136. deuxième 11
137. devant 11
138. devenir 23
139. devoir 21
140. différent(e) 22
141. difficile 17
142. dimanche *un* 12
143. dîner *un* 15
144. dîner 12
145. dire 24
146. direct(e) 11
147. dis-moi 21
148. disputer (se) 24
149. docteur *un* 14
150. dormir 5
151. doucher (se) 13
152. droit (aller tout -) 11
E
153. eau l' (f.) 22
154. échapper (s') 24
155. écharpe *une* 19
156. école *une* 13
157. économie l' (f.) 2
158. écouter 22
159. écrire 22
160. élégant(e) 21
161. elle 4
162. embouteillage *un* 24
163. en face (de) 23
164. encore 13
165. enfant *un(e)* 9
166. enfin 23
167. énorme 24
168. ensemble 6
169. ensuite 15
170. entendre 24
171. entreprise *une* 17
172. entrer 24
173. époque *une* 21
174. épouser 16
175. espagnol(e) 4
176. essayer 21
177. et 3
178. et alors ? 23
179. été *un* 20
180. être 2
181. études *les* (f.) 17
182. étudiant(e) *un(e)* 3
183. euro *un* 9
184. eux 19
185. exactement 20
186. examen *un* 20
187. excellent(e) 7
188. excusez-moi 2
189. exister 22
190. expo (exposition) *une* 12
F
191. facile 11
192. faire 5

193. fais attention ! 21
194. fait divers *un* 24
195. famille *une* 15
196. farine *de la* 10
197. fatigant(e) 18
198. fatigué(e) 13
199. faut (il -) 9
200. femme *une* 15
201. fête *une* 21
202. fille *une* 16
203. film *un* 7
204. fils *un* 16
205. fini ! 17
206. finir 20
207. folie *une* 12
208. foot (ball) *le* 5
209. français(e) 2
210. frère *un* 15
211. frites *des* (f.) 10
212. froid (il fait -) 19
213. fruit *un* 9
G
214. gardien *un* 24
215. gare *une* 11
216. gâteau *un* 1
217. gens *les* (m. pl.) 22
218. gigot *un* 10
219. grand(e) 8
220. grand-mère *une* 16
221. grand-père *un* 16
222. gros/grosse 19
H
223. habiller (s') 13
224. habiter (à) 3
225. haricot vert *un* 9
226. hein ? 22
227. heure *une* 7
228. heure (avoir l'-) 13
229. heureusement 20
230. hier 15
231. homme *un* 21
232. hôtel *un* 24
I
233. ici 3
234. idée *une* 7
235. il 5
236. il y a (+ durée) 22
237. ils 7
238. important(e) 21
239. impossible 22
240. incroyable 17
241. informaticien/ne *un(e)* 2
242. ingénieur *un* 17
243. inondation *une* 22
244. intéressant(e) 3
245. interroger 24
246. inviter 22
247. iranien/ne 6
248. irlandais(e) 16
249. italien/ne 4
J
250. janvier 22
251. japonais(e) 2
252. jaune 21
253. jazz *le* 7
254. je 2
255. jeudi *un* 14
256. jeune 6

257. **je vous en prie** 2
258. joli (e) 3
259. jouer (dans un film) 21
260. jour *un* 13
261. journal *un* 22
262. journaliste *un(e)* 2
263. journée *une* 14
264. judo *le* 4
265. juin 20
266. **juste** 23
K 267. kilo *un* 9
L 268. là, là-bas 17
269. lait *du* 9
270. légume *un* 9
271. lettre *une* 22
272. leur, leurs 15
273. leur (pronom COI) 24
274. libre 8
275. lire 5
276. litre *un* 9
277. loin 11
278. long/longue 8
279. longtemps 16
280. lui 4
281. lui (pronom COI) 24
282. lundi *un* 14
283. lunettes *des (f.)* 8
284. lycée *un* 21
M 285. madame 1
286. mademoiselle 6
287. magazine *un* 6
288. magnifique 6
289. maigre 8
290. maintenant 16
291. mais 4
292. **maison (à la -)** 15
293. manger 15
294. mardi *un* 14
295. mari *un* 16
296. marier (se) 23
297. master *un* 17
298. matin *un* 14
299. **ménage (faire le -)** 15
300. **merci** 1
301. mercredi *un* 14
302. mère *une* 8
303. mesdames 2
304. messieurs 2
305. métro *le* 11
306. mettre 19
307. midi 13
308. minute *une* 11
309. moi 1
310. moins 14
311. moins... (que) 21
312. mon, ma, mes 15
313. moniteur *un* 23
314. monsieur 1
315. montagne *la* 23
316. mourir 18
317. moto *une* 5
318. muet/muette 21
319. musicien *un* 7
N 320. naître 18
321. neiger 19
322. **n'est-ce pas ?** 3
323. noir(e) 21

324. nom *un* 23
325. non 2
326. notre, nos 16
327. nous 6
328. nouveau/elle 7
329. nuit *une* 24
330. **nuit (en pleine)** 24
O 331. œuf *un* 10
332. **oh là là !** 12
333. on 7
334. opéra *un* 5
335. orange *une* 9
336. ordinateur *un* 13
337. ou 10
338. où 7
339. oui 1
P 340. paquet *un* 9
341. parapluie *un* 19
342. parce que 24
343. **pardon !** 2
344. parents *les (m.)* 15
345. **par exemple** 10
346. parfait 10
347. parler 3
348. partir 12
349. partout 16
350. **pas d'accord !** 23
351. **pas du tout** 3
352. **pas question** 13
353. **pas terrible** 21
354. passer 1
355. passer 22
356. peintre *un(e)* 6
357. pendant 17
358. perdu(e) 11
359. père *un* 8
360. période *une* 18
361. petit(e) 6
362. petit déjeuner *un* 13
363. peu (un) 4
364. peut-être 19
365. philosophie *la* 20
366. photo *une* 6
367. photographe *un(e)* 6
368. place de concert *une* 7
369. plage *une* 5
370. plat *un* 10
371. pleuvoir 19
372. plus... (que) 21
373. **plus tard** 17
374. plutôt 21
375. point *un* 4
376. poisson *du* 10
377. policier *un* 24
378. pomme de terre *une* 9
379. pont *un* 22
380. portable *un* 22
381. porte *une* 20
382. possible 14
383. poste *un* 17
384. pour 6
385. pourquoi 24
386. pouvoir 14
387. précieux/précieuse 21
388. préférer 5
389. premier/ère 11
390. prendre (= acheter) 9

391. prendre 11
392. préparer 13
393. près (tout près) 11
394. presque 15
395. printemps *un* 20
396. problème *un* 8
397. prochain(e) 14
398. producteur *un* 21
399. prof (professeur) *un(e)* 20
400. professeur *un(e)* 2
401. projet *un* 14
402. proposer 23
403. quand 14
Q 404. quart *un* 13
405. quel/le 6
406. quelques 24
407. quelqu'un 11
408. queue de cheval *une* 8
409. **quoi ?** 23
R 410. raconter 17
411. radio *une/la* 22
412. rater 20
413. regarde ! 6
414. regarder 20
415. rencontrer 7
416. rendez-vous *un* 14
417. rentrée *la* 20
418. rentrer 19
419. reportage *un* 22
420. reposer (se) 19
421. restaurant *un* 3
422. rester 18
423. retrouver (se) 7
424. réussir 20
425. réunion *une* 14
426. réveiller (se) *v.* 13
427. rien 15
428. robe *une* 21
429. rôle *un* 21
430. rose 18
431. rouge 21
432. roux/rousse 8
433. rue *une* 4
S 434. salade *une* 9
435. samedi *un* 12
436. sans 19
437. savoir 21
438. sculpteur *un* 18
439. semaine *une* 15
440. semestre *un* 20
441. sénégalais(e) 2
442. septembre 20
443. serveur/serveuse *un(e)* 23
444. seul(e) 24
445. ski *le* 23
446. sœur *une* 16
447. soir *un* 7
448. soleil *le* 19
449. **soleil (en plein)** 24
450. son, sa, ses 15
451. sortir 21
452. sous 22
453. souvenir *un* 21
454. souvent 18
455. sport *le* 5
456. steward *un* 18
457. sucre *du* 10

458. suisse, suisse 2
459. super 4
460. superbe 9
461. sur 12
462. sympa (sympathique) 8
T 463. tableau *un* 18
464. tarte *une* 10
465. téléphone *le* 4
466. télé(vision) *une/la* 15
467. temps *le* 19
468. thé *le* 16
469. théâtre *le* 17
470. tiens ! 1
471. timide 23
472. toi 3
473. tomate *une* 9
474. **tomber amoureux (de qqn)** 23
475. ton, ta, tes 16
476. touriste *un(e)* 4
477. **tout(e)** 14
478. **tout d'abord** 24
479. **tout de suite** 12
480. **tout le monde** 10
481. **tout le temps** 24
482. train *un* 12
483. tranquillement 24
484. travail *un* 17
485. travailler 2
486. très 1
487. troisième 11
488. trop 19
489. trouver 17
490. tu 3
491. **tu sais** 21
492. tuer 24
493. turc/turque 12
U 494. un peu 4
495. université *une* 20
V 496. vacances *les (f.)* 5
497. vache *une* 24
498. vécu (p. passé de *vivre*) 18
499. vélo (faire du) 19
500. vendredi *un* 12
501. venir 7
502. vert(e) 16
503. vétérinaire *un(e)* 17
504. viande *de la* 10
505. vieux/vieille 23
506. visioconférence *une* 14
507. vite 13
508. vivre 16
509. voilà 1
510. voir 12
511. voisin(e) *un(e)* 23
512. voiture *une* 12
513. voleur *un* 24
514. votre, vos 16
515. voudrais (je) (vouloir) 11
516. vouloir 17
517. vous 1
518. voyage *un* 12
519. voyager 18
520. vrai 9
521. vraiment 23
W 522. week-end *un* 12

Glossary

1. **See you soon** 1
2. (To agree) To accept 23
3. To buy 9
4. Actor. Actress 23
5. The bill 15
6. To love 5
7. Address ! 4
8. **Right** 11
9. Airport 8
10. **The left** 11
11. Age 6
12. To like 5
13. German 4
14. To go 7
15. **Hello!** 1
16. Then 3
17. American 3
18. Friend 6
19. To have fun 20
20. Year 6
21. Pineapple 9
22. Englishman. Englishwoman 4
23. Animal 17
24. Year 20
25. Anniversary 6
26. **Walking** 11
27. To call 13
28. (sb's) name is... 2
29. After 11
30. Afternoon 14
31. At sign 4
32. To arrive 8
33. **See you later** 7
34. **Watch out! Beware!** 13
35. Today 15
36. **Goodbye** 1
37. Too, Also 2
38. Autograph 23
39. Another 21
40. Before 22
41. With 7
42. To have 6
43. Baccalauréat (final secondary school examination qualifying for university entrance) 17
44. Baguette 1
45. (To bathe) To have a bath. To go bathing 19
46. **Bathe (to have a)** 24
47. Banana 9
48. Bank 11
49. Beard 8
50. To go boating (a boat) 19
51. To chat. To talk 15
52. Beautiful 6
53. **Sunny weather** 19
54. Much. A lot. A great deal 5
55. Butter 10
56. Well 1
57. **Of course** 3
58. Ticket 12
59. White 8
60. Blue 18
61. Blond 8
62. To drink 24
63. Box 9
64. Good 7
65. **Good morning** 1

66. Candle 10
67. Bottle 10
68. **Bravo! Well done! Congratulations** 4
69. Suntanned 19
70. To have dark hair 8
71. Office 13
72. Bus 11
73. This. That 5
74. **My Goodness! Wow!** 23
75. Present, Gift 6
76. Coffee 9
77. It depends 11
78. **Let's drink to...** 10
79. **All went well** 20
80. **Enough** 19
81. **All right** 1
82. Famous 6
83. (Single) Bachelor 17
84. Cherry 9
85. **How much** 9
86. Hot weather 19
87. Room. Bedroom 21
88. Luck 18
89. To change 23
90. Hat 21
91. Chateau. Castle 12
92. **It's hot, It's warm** 19
93. Shoe 19
94. Expensive 9
95. To try to find, To look for 11
96. Hair 8
97. At (sb's). To (sb's) 12
98. Chinese 4
99. Chocolate 10
100. Cinema) Movie theater 5
101. To move) To run. To drive) To circulate 22
102. Conventional. Classical 21
103. As. Like 10
104. **Like this. Like that** 21
105. **As usual** 19
106. To begin. To start 20
107. How 1
108. **How are you ?** 1
109. Concert 7
110. Jam 13
111. To know 3
112. To continue) To keep up. To carry on 20
113. (Friend) Mate 15
114. Class. Lesson. Course 20
115. Shopping 10
116. Croissant 1
117. First. Initially 22
118. **OK** 5
119. In 3
120. To dance 5
121. To get up. To stand up 13
122. December 12
123. Designer 18
124. Already 23
125. To lunch. Lunch 14
126. Delicious 9
127. Tomorrow 8
128. To ask 11
129. Half 13
130. To hurry up 13
131. Since 18

132. Last 15
133. Sorry 4
134. Dessert 10
135. To hate 5
136. Second 11
137. In front of) Ahead 11
138. To become 23
139. Must 21
140. Different 22
141. Difficult 17
142. Sunday 12
143. Dinner 15
144. To have dinner 12
145. To say 24
146. Direct 11
147. Tell me 21
148. (To argue) To quarrel 24
149. Doctor 14
150. To sleep 5
151. To take a shower 13
152. **Strait ahead** 11
153. Water 22
154. To run away 24
155. Scarf 19
156. School 13
157. Economy 2
158. To listen 22
159. To write 22
160. Elegant. Smart 21
161. She 4
162. Traffic jam 24
163. Right in front of 23
164. More) Still 13
165. Child 9
166. Finally. At last 23
167. Huge) Enormous 24
168. Together 6
169. Then. Next 15
170. To hear 24
171. Firm. Business. Enterprise 17
172. To go in. To enter 24
173. Time 21
174. To marry 16
175. Spanish 4
176. To try 21
177. And 3
178. **Then?** 23
179. Summer 20
180. To be 2
181. Studies (f.) 17
182. Student 3
183. Euro 9
184. They. Them 19
185. Exactly. Precisely 20
186. Exam 20
187. Excellent 7
188. **I'm sorry. Excuse me** 2
189. To exist 22
190. An exhibition 12
191. Easy 11
192. To make) To do 5
193. **Be careful!** 21
194. News item 24
195. Family 15
196. Flour 10
197. Tiring. Tiresome 18
198. Tired 13
199. Must. To have to 9
200. Woman 15

201. (A fête) A party. A festival 21
202. Daughter. Girl 16
203. Film 7
204. Son. Boy 16
205. **Finish!** 17
206. To finish 20
207. Extravagant. Crazy. Mad 12
208. Soccer ; Football 5
209. French 2
210. Brother 15
211. Chips. French fries 10
212. **Cold (weather)** 19
213. Fruit 9
214. Caretaker. Porter. Guard 24
215. Station 11
216. Cake 1
217. People 22
218. Leg (of lamb) 10
219. Tall 8
220. Grandmother 16
221. Grandfather 16
222. Heavy. Big. Large 19
223. (To get dressed) To dress up 13
224. To live in 3
225. Green bean 9
226. **No? Eh?** 22
227. Hour 7
228. **(What) time (it is)** 13
229. Fortunately 20
230. Yesterday 15
231. Man 21
232. Hotel 24
233. Here 3
234. Idea 7
235. He 5
236. **Ago** 22
237. They 7
238. Important 21
239. Impossible 22
240. Incredible) Unbelievable 17
241. Computer scientist 2
242. Engineer 17
243. Flood 22
244. Interesting 3
245. To question. To ask 24
246. To invite 22
247. Iranian 6
248. Irish 16
249. Italian 4
250. January 22
251. Japanese 2
252. Yellow 21
253. Jazz 7
254. I 2
255. Thursday 14
256. Young 6
257. **(Please) Please do. It doesn't matter** 2
258. Lovely. Pretty. Nice 3
259. To act (in a movie) 21
260. Day 13
261. Newspaper 22
262. Journalist 2
263. Day 14
264. Judo 4
265. June 20
266. **Just** 23
267. Kilo 9

268. There 17
269. Milk 9
270. Vegetable 9
271. Letter 22
272. Their 15
273. Them 24
274. Free 8
275. To read 5
276. Liter 9
277. Far. Far away 11
278. Long 8
279. For a long time 16
280. Him 4
281. Him. Her 24
282. Monday 14
283. Glasses 8
284. Secondary school. High school 21
285. Madam 1
286. Miss 6
287. Magazine 6
288. (Magnificent. Fantastic) Gorgeous 6
289. Thin 8
290. Now 16
291. But 4
292. **Home (at)** 15
293. To eat 15
294. Tuesday 14
295. Husband 16
296. To get married 23
297. (Master (degree) 17
298. Morning 14
299. **(To do the) housework** 15
300. **Thank-you** 1
301. Wednesday 14
302. Mother 8
303. Ladies 2
304. Gentlemen 2
305. Subway. Underground 11
306. To put. To put on 19
307. Twelve o'clock. Midday. Lunchtime 13
308. Minute 11
309. Me 1
310. Minus. Less. (Time : it's.... to...) 14
311. Less (than) 21
312. My 15
313. Instructor 23
314. Sir 1
315. Mountain 23
316. To die 18
317. Motorbike 5
318. Mute 21
319. Musician 7
320. To be born 18
321. (To) snow 19
322. **Aren't you ? Isn't it ?** 3
323. Black 21
324. Name 23
325. No 2
326. Our 16
327. Us. We 6
328. New 7
329. Night 24
330. **In the middle of the night** 24
331. Egg 10

332. **Oh. Ooh. Oho**. 8
333. **(We) They. People)** Somebody 7
334. Opera 5
335. Orange 9
336. Computer 13
337. Or 10
338. Where 7
339. Yes 1
340. Bag. Packet. Pack 9
341. Umbrella 19
342. Because 24
343. **(Excuse-me) Sorry. Pardon** 2
344. Parents 15
345. **(For instance) For example** 10
346. Perfect 10
347. To speak. To talk 3
348. To leave 12
349. Everywhere 16
350. **I don't agree!** 23
351. **Not at all** 3
352. **Out of the question** 13
353. **Not terrific** 21
354. To spend (time) 15
355. To go (under, over, through) 22
356. Painter 6
357. During 17
358. Lost. To get lost 8
359. Father 16
360. Period 18
361. Small 6
362. Breakfast 13
363. (A little) A bit. Not much 4
364. (Maybe) Perhaps 19
365. Philosophy 20
366. Photo 6
367. Photographer 6
368. A concert ticket 7
369. Beach 5
370. Dish 10
371. To rain 19
372. More ...(than) 21
373. Later 17
374. Rather. Quite 21
375. Period 4
376. Fish 10
377. Policeman 24
378. Potato 9
379. Bridge 22
380. Mobile phone 22
381. Door 20
382. Possible 14
383. (Job) Position. Post 17
384. For 6
385. Why 24
386. Can. May. To be able to 14
387. Precious 21
388. To prefer 5
389. First 11
390. To take 9
391. To take 11
392. (To prepare) To get ready 13
393. Near. Close 11
394. Almost. Nearly 15
395. Spring 20
396. Problem 8

397. Next 14
398. Producer 21
399. Teacher 20
400. Teacher. Professor 2
401. A plan 14
402. To offer. To suggest 23
403. When 14
404. Quarter 13
405. Which. What 6
406. Some 24
407. (Someone) Somebody 11
408. Ponytail 8
409. **What?** 23
410. To tell 17
411. Radio 22
412. To fail. To miss 20
413. **Look !** 6
414. (To look. To see) To watch 20
415. To meet 17
416. Appointment 14
417. Start of the academic year 20
418. (To return home) To come in. To go in 19
419. (Report. Reporting. Reportage) 22
420. To rest 19
421. Restaurant 3
422. To stay 18
423. To meet. To get together. To meet again 7
424. To pass. To be successful. To manage to 20
425. Meeting 14
426. To wake up 13
427. Nothing 15
428. Dress 21
429. (Role) Part 21
430. Pink 18
431. Red 21
432. (Red-haired) Redhead 8
433. Street 4
434. (Lettuce) Salad 9
435. Saturday 12
436. Without 19
437. To know 21
438. Sculptor 18
439. Week 15
440. Semester. Half-year 20
441. Senegalese 2
442. September 20
443. Waiter. Waitress 23
444. Alone 24
445. Ski 23
446. Sister 16
447. Evening. Night 7
448. Sun 19
449. **Sun (in the)** 24
450. His. Her. Its 15
451. To go out 21
452. Under 22
453. A souvenir. A reminder 21
454. Often 18
455. Sport 5
456. Steward 18
457. Sugar 10
458. Swiss 2
459. Great. Terrific 4
460. Superb 9

461. On 12
462. Friendly. Nice 8
463. Painting 18
464. Tart 10
465. (Telephone) Phone 4
466. TV 15
467. Weather 19
468. Tea 16
469. Theatre 17
470. **Well! Here! Listen!** 1
471. Shy 23
472. You 3
473. Tomato 9
474. **To fall in love (with sb)** 23
475. Your 16
476. Tourist 4
477. All 14
478. **First. To begin with** 24
479. **(At once) Immediately** 12
480. **(Everyone) Everybody** 10
481. **Always. All the time** 24
482. Train 12
483. Peacefully. Quietly 24
484. (Job) Work 17
485. To work 2
486. Very 1
487. Third 11
488. Too much 19
489. To find 17
490. You 3
491. **You know** 21
492. To kill 24
493. Turkish 12
494. (A bit. A little) Some 4
495. University 20
496. Holidays. Holiday 5
497. Cow 24
498. Lived 18
499. (Bike) Bicycle 19
500. Friday 12
501. To come 7
502. Green 16
503. Veterinary surgeon. Veterinarian 17
504. Meat 10
505. Old 23
506. Video-conference 14
507. Quick. Quickly 13
508. To live 16
509. (There) Here it is. Here you are 1
510. To see 12
511. Neighbor 23
512. Car 12
513. Robber. Thief 24
514. Your 16
515. I would like 11
516. To want 17
517. You 1
518. Trip. Journey 12
519. To travel 18
520. True 9
521. Really 23
522. Weekend 12

1. 後でまた 1	67. びん 10	135. 嫌う 5	203. フィルム 7
2. 賛成する。23	68. ブラボー。	136. 2番目 11	204. 息子 16
3. 買う 9	うまい 4	137. 前 11	205. 終わった 17
4. 俳優。女優。23	69. 日に焼けた 19	138. 〜になる。23	206. 終える 20
5. 勘定 15	70. 褐色の髪の人 8	139. しなければならない 21	207. （ぜいたくをする）
6. 大好き 5	71. 事務所 13	140. 違う。22	気違い 12
7. アドレス 4	72. バス 11	141. 難しい 17	208. サッカー 5
8. 右 11	73. これ。それ。	142. 日曜日 12	209. フランス人 2
9. 飛行場 8	あれ 5	143. 夕食 15	210. 兄。弟。兄弟 15
10. 左 11	74. アラッ。オヤッ。23	144. 夕食をする 12	211. フライド・ポテト 10
11. 年齢 6	75. 贈り物 6	145. 言う。24	212. 寒い 19
12. 好きである 5	76. コーヒー 9	146. まっすぐ 11	213. 果物 9
13. ドイツ人。	77. それが依存して 11	147. 教えて。21	214. 番人。24
ドイツ語 4	78. 乾杯すべきです 10	148. 喧嘩する。	215. 駅 11
14. 行く 7	79. うまくいきました 20	口喧嘩する。24	216. 菓子 1
15. もしもし 1	80. それで十分です 19	149. 医者 14	217. 人々。22
16. それでは 3	81. 元気です。	150. 眠れる 5	218. もも肉 10
17. アメリカ人 3	いいです 1	151. シャワーを浴びる 13	219. 背の高い人。
18. 友達。友人 6	82. 有名 6	152. まっすぐ 11	大きい 8
19. 遊ぶ 20	83. 独身 17	153. 水。22	220. 祖母。お婆さん 16
20. 年 6	84. さくらんぼう 9	154. 逃げる。24	221. 祖父。お爺さん 16
21. パイナップル 9	85. いくら？ 9	155. スカーフ 19	222. 太い。大きい 19
22. イギリス人。	86. 暑さ 19	156. 学校 13	223. 服を着る 13
英語 4	87. 部屋。寝室。21	157. 経済 2	224. 住む 3
23. 動物 17	88. 運 18	158. 聞く。22	225. サヤインゲン 9
24. 年 20	89. 変える。23	159. 書く。22	226. ねぇ？えぇ？22
25. 誕生日 6	90. 帽子。21	160. おしゃれ。21	227. 時間 7
26. 歩いて 11	91. 城 12	161. 彼女は 4	228. （何）時
27. 呼ぶ 13	92. 暑い 19	162. 交通マヒ。24	（ですか） 13
28. 名前は。。。。	93. 靴 19	163. 〜の正面に。23	229. 幸いにも 20
と言う 2	94. たかい 9	164. まだ。もっと 13	230. きのう 15
29. の次に。の後で 11	95. さがす 11	165. 子供 9	231. 人。男。人間。21
30. 午後 14	96. 髪の毛 8	166. 最後に。最終的に。23	232. ホテル。24
31. アットマーク 4	97. の家（に、へ）12	167. 巨大な。膨大な。24	233. ここ 3
32. 着く。到着する 8	98. 中国人 4	168. 一緒に 6	234. 考え。アイデア 7
33. あとでまた 7	99. チョコレート 10	169. それから 15	235. 彼は 5
34. 気をつけて。	100. 映画館 5	170. 聞く。聞こえる。24	236. （時間）前に。22
注意 13	101. 往来する。22	171. 企業。会社 17	237. 彼らは 7
35. 今日 15	102. ごく普通の。21	172. 入る。24	238. 大事な。21
36. さよなら。	103. のように 10	173. 時間 21	239. ありえない。22
ではまた 1	104. そのような。21	174. 結婚する 16	240. 信じられない 17
37. もう 2	105. いつものように 19	175. スペイン人 4	241. コンピューター専門家
38. サイン 23	106. 始める 20	176. 試してみる。	2
39. 別の。他の。21	107. どのように 1	調べてみる。21	242. 技師 17
40. 昔は。前は。22	108. お元気ですか？ 1	177. x と 3	243. 洪水。22
41. と。と一緒に 7	109. コンサート。	178. それで？それから？23	244. 興味深い。
42. 持つ。所有する 6	音楽会 7	179. 夏 20	面白い 3
43. バカロレア 17	110. ジャム 13	180. である。いる 2	245. たずねる。
44. バゲット 1	111. 知る 3	181. 勉強 17	尋問する。24
45. 泳ぐ。浴びる 19	112. 続ける 20	182. 学生 3	246. 招待する。22
46. 泳ぐ。24	113. 仲間 15	183. ユーロ 9	247. イラン人 6
47. バナナ 9	114. 講義。授業 20	184. 彼ら 19	248. アイルランド人 16
48. 銀行 11	115. 買い物 10	185. 正確に。	249. イタリア人 4
49. あごヒゲ 8	116. クロワサン 1	ちょうど 20	250. 一月。22
50. 舟 19	117. まず。22	186. 試験 20	251. 日本人 2
51. おしゃべりする 15	118. 賛成。よろしい 5	187. 素晴らしい 7	252. 黄色。21
52. 美しい 6	119. の中に。の間に 3	188. すみません 2	253. ジャズ 7
53. 天気がよい 19	120. 踊る 5	189. 存在する。22	254. 私は 2
54. 沢山。非常に。	121. 立って 13	190. 展覧会。展示 12	255. 木曜日 14
多くの 5	122. 12月 12	191. 簡単な。	256. 若い 6
55. バター 10	123. インテリア・デザイナー18	やさしい 11	257. どういたしまして 2
56. よく 1	124. すでに。23	192. する 5	258. きれい 3
57. もちろん 3	125. 昼食を食べる 14	193. 気をつけて！21	259. （映画で）を再生 21
58. 切符 12	126. おいしい 9	194. 三面記事。24	260. 日。一日 13
59. 白い 8	127. 明日 8	195. 家族 15	261. 新聞。22
60. 青い 18	128. 頼む 11	196. 小麦粉 10	262. 記者 2
61. 金髪の 8	129. 半（半分の）13	197. 疲れさせる 18	263. 一日 14
62. 飲む。24	130. 急ぐ 13	198. 疲れた 13	264. 柔道 4
63. 箱 9	131. 以来。から 18	199. なければならない 9	265. 6月 20
64. 良い 7	132. 最後の 15	200. 女性 15	266. ちょうど。23
65. 今日は 1	133. すみません 4	201. 祝い。21	267. キログラム 9
66. ローソク 10	134. デザート 10	202. 娘。女の子 16	268. あそこ 17

269. 牛乳 9
270. 野菜 9
271. 手紙。22
272. 彼らの。
     彼女たちの 15
273. 彼等
     （を、に・・・）。24
274. 自由な 8
275. 読む 5
276. リットル。
     リッター 9
277. 遠い 11
278. 長い 8
279. 長い間 16
280. 彼（女）に
     （へ、から。。。。）4
281. 彼（を、に・・・）。彼
     女（を、に・・・）。24
282. 月曜日 14
283. めがね 8
284. 高等学校。21
285. 夫人 1
286. 夫人（ミス）6
287. 雑誌 6
288. 素晴らしい 6
289. やせた 8
290. 今 16
291. しかし 4
292. うちに 15
293. 食べる 15
294. 火曜日 14
295. 夫 16
296. 結婚 23
297. マスター。修士 17
298. 朝 14
299. **家事をする** 15
300. **ありがとう** 1
301. 水曜日 14
302. 母 8
303. 婦人方 2
304. 紳士 2
305. 地下鉄 11
306. つける。着る。
     置く 19
307. １２時。正午 13
308. 一分 11
309. 私 1
310. （時間。。。分前）
     （より少ない）14
311. ほどではない。
     より少ない。21
312. 私の 15
313. 指導員。23
314. さん。氏 1
315. 山。23
316. 死ぬ 18
317. オートバイ 5
318. ダム 21
319. 音楽家 7
320. 生まれる 18
321. 雪が降る 19
322. そうでしょう？3
323. 黒い。21
324. 名前。23
325. いいえ 2
326. 私たちの 16
327. 私たち 6
328. 新しい 7
329. 夜。夜中。24
330. **夜中。**24
331. 卵 10
332. **おや。あら。**8

333. 誰かが 7
334. オペラ 5
335. オレンジ 9
336. コンピューター 13
337. または。あるいは。
     それとも 10
338. どこで 7
339. はい 1
340. 袋。箱。小包 9
341. 傘 8
342. なぜならば。24
343. **すみません** 2
344. 両親 15
345. **例えば** 10
346. 完璧 10
347. 話す 3
     出発する。
348. 出かける 12
349. いたる所で。
     あっちこっちで 16
350. いや。23
351. **全然。ちっとも** 3
352. **話にならない** 13
353. **たいしたことない。**21
354. 過ごす（時間）1
355. 通る。22
356. 画家 6
357. （・・・する）
     間に 17
358. 迷子になった。
     失った 11
359. 父 8
360. 期間。時代 18
361. 小さい 6
362. 朝食 13
363. 少し 4
364. ひょっとしたら。
     おそらく。多分 19
365. 哲学 20
366. 写真 6
367. カメラマン 6
368. コンサートチケット 7
369. 浜辺 5
370. 料理。皿 10
371. 雨が降る 19
372. より・・・です。21
373. あとで 17
374. どちらかと言えば。
     むしろ。21
375. ポイント 4
376. 魚 10
377. 警官。24
378. ジャガイモ 9
379. 橋。22
380. 携帯電話。22
381. ドア 20
382. 可能な 14
383. 地位 17
384. のため 6
385. なぜ。24
386. することができる 14
387. 貴重な 21
388. の方を好む。
     の方がよい 5
389. 第一の。最初の 11
390. 取る 9
391. 取る 11
392. 準備する 13
393. 近くに 11
394. ほとんど 15
395. 春 20
396. 問題 8

397. 次の。今度の 14
398. プロデューサー 21
399. 先生 20
400. 教授 2
401. 計画 14
402. 提案する。23
403. する時に 14
404. ４分の１。
     １５分 13
405. どんな。どれ 6
406. いくつかの。24
407. 誰か 11
408. ポニー・テール 8
409. なに？23
410. 語る 17
411. ラジオ。22
412. 落第。そこなう 20
413. 見て。ほら 6
414. 見る。眺める 20
415. 出会う 17
416. 会う約束 14
417. 新学期の開始 20
418. 入る 19
419. ルポルタージュ。22
420. 休憩する 19
421. レストラン 3
422. とどまる。残る。
     泊まる 18
423. また会う 7
424. 成功する 20
425. 会議 14
426. 目が覚める。
     起きる 13
427. 何にも。。。
     ない 15
428. ドレス。21
429. 役。21
430. ピンク色 18
431. 赤い。21
432. 赤毛の 8
433. 通り 4
434. レタス。サラダ 9
435. 土曜日 12
436. なしに 19
437. 知る。21
438. 彫刻家 18
439. 週 15
440. 半期 20
441. セネガル人 2
442. ９月 20
443. ウェーター、
     ウェートレス。23
444. ひとりで。24
445. スキー。23
446. 姉。妹。姉妹 16
447. 夕方。晩。夜 7
448. 太陽 19
449. **太陽。**24
450. 彼の。彼女の 15
451. 出る。21
452. 〜の下に。22
453. 思い出。21
454. しばしば 18
455. スポーツ 5
456. スチュワード 18
457. 砂糖 10
458. スイス人 2
459. スゴい 4
460. 素晴らしい 9
461. の上に 12
462. 感じのいい 8
463. 絵 18

464. タルト 10
465. 電話。4
466. テレビ 15
467. 天気 19
468. 茶 16
469. 劇場 17
470. **おや、おやおや。**
     あら 1
471. 内気。23
472. お前。君。
     あなた 3
473. トマト 9
474. 一目ぼれする。23
475. お前の。君の。
     あなたの 16
476. 観光客 4
477. 全ての。全体の。
     （１日）中 14
478. **まず。**24
479. すぐに 12
480. 皆。**全ての人** 10
481. 年中。24
482. 汽車 12
483. 安心して。24
484. 仕事 17
485. 仕事する 2
486. 大変。非常に 1
487. ３番目の 11
488. 。。。過ぎる 19
489. 発見する 17
490. あなたは。君は。
     お前は 3
491. 知ってる。ねぇ。21
492. 殺す。24
493. トルコ人 12
494. 少し 4
495. 大学 20
496. 夏休み。休み。
     休暇。バカンス 5
497. 牛。牝牛。24
498. 生きた 18
499. 自転車 19
500. 金曜日 12
501. 来る 7
502. 緑 16
503. 獣医 17
504. 肉 10
505. 年とった。23
506. テレビ会議 14
507. 早い 13
508. 生きる。暮らす 16
509. はい、どうぞ 1
510. 見る 12
511. 隣の人。23
512. 車 12
513. どろぼう。24
514. あなたの 16
515. 。。。を下さい 11
516. したがる。
     欲しがる 17
517. あなた 1
518. 旅行。旅 12
519. 旅行する 18
520. 本当の 9
521. 本当に。23
522. 週末 12

Léxico

1. ¡hasta luego! ¡hasta pronto! 1
2. aceptar 23
3. comprar 9
4. actor/actriz un(a) 23
5. cuenta la 15
6. encantar 5
7. dirección 4
8. a la derecha 11
9. aeropuerto un 8
10. a la izquierda 11
11. edad una 6
12. gustar 5
13. alemán/alemana 4
14. ir 7
15. ¡Diga! 1
16. entonces 3
17. americano/americana 3
18. amigo/amiga un(a) 6
19. divertir(se) 20
20. año un 6
21. piña una 9
22. inglés/inglesa 4
23. animal un 17
24. año un 20
25. cumpleaños un 6
26. a pie (ir a -) 11
27. llamar 13
28. llamar(se) 2
29. después 11
30. tarde una 14
31. arroba una 4
32. llegar 8
33. hasta luego 7
34. ¡cuidado! 13
35. hoy 15
36. adiós 1
37. también 2
38. autógrapho un 23
39. otro 21
40. antes 22
41. con 7
42. tener 6
43. selectividad la 17
44. barra de pan una 1
45. bañar(se) 19
46. baño (tomar un) 24
47. plátano un 9
48. banco un 11
49. barba una 8
50. navegar 19
51. charlar 15
52. guapo/guapa 6
53. buen tiempo (hace -) 19
54. mucho 5
55. mantequilla 10
56. bien 1
57. por supuesto 3
58. billete un 12
59. blanco/blanca 8
60. azul 18
61. rubio/rubia 8
62. beber 24
63. lata una 9
64. bueno/a 7
65. hola 1
66. vela una 10
67. botella una 10

68. ¡Enhorabuena! 4
69. moreno/morena 19
70. moreno/morena 8
71. oficina una 13
72. autobús un 11
73. eso 5
74. ¡Vaya! 23
75. regalo un 6
76. café un 9
77. depende 11
78. eso hay que celebrarlo con un brindis 10
79. todo ha ido bien 20
80. ya basta 19
81. bien 1
82. famoso/famosa 6
83. soltero/soltera 17
84. cereza una 9
85. ¿cuánto cuesta? 9
86. calor el 19
87. habitación una 21
88. suerte 18
89. cambiar 23
90. sombrero un 21
91. castillo un 12
92. calor (hacer -) 19
93. zapato un 19
94. querido/querida 9
95. buscar 11
96. pelo un 8
97. en casa de, en mi casa...
98. chino/china 4
99. chocolate 10
100. cine un 5
101. circular 22
102. clásico/clásica 21
103. como 10
104. así 21
105. como siempre 19
106. empezar 20
107. como 1
108. ¿qué tal? 1
109. concierto un 7
110. mermelada 13
111. conocer 3
112. continuar 20
113. amigo un, amiga une 15
114. clase una 20
115. compras las (f.) 10
116. cruasán un 1
117. primero 22
118. ¡de acuerdo! 5
119. en 3
120. bailar 5
121. de pie 13
122. diciembre 12
123. decorador un 18
124. ya 23
125. comida 14
126. delicioso/deliciosa 9
127. mañana 8
128. preguntar 11
129. media 13
130. darse prisa 13
131. desde 18
132. último/a 15
133. lo siento 4
134. postre un 10

135. detestar 5
136. segundo 11
137. delante de 11
138. convertirse 23
139. tener que 21
140. diferente 22
141. difícil 17
142. domingo un 12
143. cena una 15
144. cenar 12
145. decir 24
146. directo/a 11
147. dime 21
148. pelear(se) 24
149. doctor un 14
150. dormir 5
151. duchar(se) 13
152. recto (ir -) 11
153. agua (m.) 22
154. escapar(se) 24
155. bufanda una 19
156. escuela una 13
157. economía (f.) 2
158. escuchar 22
159. escribir 22
160. elegante 21
161. ella 4
162. atasco un 24
163. en frente (de) 23
164. todavía, aún, un poco más) 13
165. niño/niña un(a) 9
166. en fin 23
167. enorme 24
168. juntos 6
169. después 15
170. oír 24
171. empresa una 17
172. entrar 24
173. época una 21
174. casarse 16
175. español(a) 4
176. probar(se) 21
177. y 3
178. y entonces,¿qué pasó? 23
179. verano un 20
180. ser 2
181. estudios les (m.) 17
182. estudiante un(a) 3
183. euro un 9
184. ellos 19
185. exactamente 20
186. examen un 20
187. excelente 7
188. discúlpeme 2
189. existir 22
190. exposición una 12
191. fácil 11
192. hacer 5
193. ¡ten cuidado! 21
194. suceso un 24
195. familia una 15
196. harina 10
197. cansado/cansada 18
198. cansado/a 13
199. hacen falta 9
200. mujer una 15

201. fiesta una 21
202. chica una 16
203. película una 7
204. hijo un 16
205. ¡se acabó! 17
206. acabar 20
207. locura una 12
208. fútbol el 5
209. francés/francesa 2
210. hermano un 15
211. patatas fritas (f) 10
212. frío (hace -) 19
213. fruta una 9
214. guardián un 24
215. estación una 11
216. pastel un 1
217. gente la (f.) 22
218. pierna de cordero una 10
219. grande 8
220. abuela una 16
221. abuelo un 16
222. grande 19
223. vestir(se) 13
224. vivir (en) 3
225. judía verde una 9
226. ¿verdad? 22
227. hora una 7
228. hora (tener -) 13
229. afortunadamente 20
230. ayer 15
231. hombre un 21
232. hotel un 24
233. aquí 3
234. idea una 7
235. el 5
236. hace (+ tiempo) 22
237. ellos 7
238. importante 21
239. imposible 22
240. increíble 17
241. informático/a un(a) 2
242. ingeniero un 17
243. inundación una 22
244. interesante 3
245. interrogar 24
246. invitar 22
247. iraní 6
248. irlandés/irlandesa 16
249. italiano/italiana 4
250. enero 22
251. japonés/japonesa 2
252. amarillo 21
253. jazz el 7
254. yo 2
255. jueves un 14
256. joven 6
257. no es nada 2
258. bonito/bonita 3
259. actuar (en un filme) 21
260. día un 13
261. periódico un 22
262. periodista un(a) 2
263. día un 14
264. yudo el 4
265. junio 20
266. justo 23
267. kilo un 9
268. allí, allá 17

269. leche 9
270. verdura *una* 9
271. carta *una* 22
272. su, sus 15
273. su (pronom COI) 24
274. libre 8
275. leer 5
276. litro *un* 9
277. lejos 11
278. largo/larga 8
279. mucho tiempo 16
280. le
281. él (pronom COI) 24
282. lunes *un* 14
283. gafas (f. pl.) 8
284. instituto *un* 21
285. señora 1
286. señorita 6
287. revista *una* 6
288. magnífico 6
289. delgado/delgada 8
290. ahora 16
291. pero 4
292. casa (en -) 15
293. comer v. 15
294. martes *un* 14
295. marido *un* 16
296. casarse 23
297. master *un* 17
298. mañana *una* 14
299. limpiar la casa 15
300. gracias 1
301. miércoles *un* 14
302. madre *una* 8
303. señoras 2
304. señores 2
305. metro *el* 11
306. poner 19
307. mediodía 13
308. minuto *un* 11
309. yo 1
310. menos 14
311. menos... (que) 21
312. mi, mis 15
313. monitor *un* 23
314. señor 1
315. montaña *la* 23
316. morir 18
317. moto *una* 5
318. mudo / muda 21
319. músico *un* 7
320. nacer 18
321. nevar 19
322. ¿no es así? 3
323. negro(a) 21
324. nombre *un* 23
325. no 2
326. nuestro, nuestros 16
327. nosotros 6
328. nuevo/nueva 7
329. noche *una* 24
330. noche (en plena) 24
331. huevo *un* 10
332. ¡Madre mía! 8
333. En espagnol on utilise juste le verbe conjugué. 7
334. ópera *una* 5
335. naranja *una* 9

336. ordenador *un* 13
337. o 10
338. dónde 7
339. sí 1
340. paquete *un* 9
341. paraguas *un* 19
342. porque que 24
343. ¡perdone!, disculpe 2
344. padres *los* (m.) 15
345. por ejemplo 10
346. perfecto 10
347. hablar 3
348. ir 12
349. todas partes 16
350. ¡no estar de acuerdo! 23
351. para nada 3
352. ni hablar 13
353. no es nada del otro mundo 21
354. pasar 15
355. pasar 22
356. pintor(a) *un(a)* 6
357. durante 17
358. perdido/perdida 11
359. padre *un* 8
360. periodo *un* 18
361. pequeño/pequeña 6
362. desayuno *un* 13
363. poco (*un*) 4
364. tal vez 19
365. filosofía la 20
366. foto *una* 6
367. fotógrafo, fotógrafa *un(a)* 6
368. entrada para un concierto *una* 7
369. playa *una* 5
370. plato *un* 10
371. llover 19
372. más ... (que) 21
373. más tarde 17
374. más bien 21
375. punto *un* 4
376. pescado 10
377. policía *un* 24
378. patata *una* 9
379. puente *un* 22
380. teléfono móvil, celular *un* 22
381. puerta *una* 20
382. posible 14
383. puesto *un* 17
384. para 6
385. por qué 24
386. poder 14
387. precioso/preciosa 21
388. preferir 5
389. primer(a) 11
390. llevar(se) (= comprar) 9
391. coger, tomar 11
392. preparar 13
393. cerca (muy cerca) 11
394. casi 15
395. primavera *una* 20
396. problema *un* 8
397. próximo/próxima 14
398. productor *un* 21

399. profe, profesor(a) *un(a)* 20
400. profesor(a) *un(a)* 2
401. proyecto *un* 14
402. proponer 23
403. cuando 14
404. cuarto *un* 13
405. qué, cuál 6
406. algunos 24
407. alguien 11
408. coleta *una* 8
409. ¿qué? 23
410. contar 17
411. radio *la* 22
412. suspender 20
413. ¡mira! 6
414. mirar 20
415. conocer 17
416. rendez-vous *un* 14
417. vuelta a clase *la* 20
418. volver 19
419. reportaje *un* 22
420. descansar 19
421. restaurante *un* 3
422. quedar(se) 18
423. quedar v. 7
424. aprobar 20
425. reunión *una* 14
426. despertar(se) v. 13
427. nada 15
428. vestido *un* 21
429. papel *un* 21
430. rosa 18
431. rojo 21
432. pelirrojo/pelirroja 8
433. calle *un* 4
434. ensalada *una* 9
435. sábado *un* 12
436. sin 19
437. savoir 21
438. escultor *un* 18
439. semana *una* 15
440. semestre *un* 20
441. senegalés/senegalesa 2
442. septiembre 20
443. camarero/camarera *un(a)* 23
444. solo/sola 24
445. esquí *el* 23
446. hermana *una* 16
447. noche *una* 7
448. sol el 19
449. sol (en pleno) 24
450. su, sus 15
451. salir 21
452. bajo 22
453. souvenir *un* 21
454. a menudo 18
455. deporte *el* 5
456. auxiliar de vuelo *un* 18
457. azúcar 10
458. suizo, suiza 2
459. súper 4
460. magnífico 9
461. sobre 12
462. simpático/simpática 8
463. cuadro *un* 18
464. tarta *una* 10

465. teléfono *el* 4
466. tele(visión) *una* 15
467. tiempo *el* 19
468. té *el* 16
469. teatro *el* 17
470. ¡vaya! 1
471. tímido/tímida 23
472. tú 3
473. tomate *un* 9
474. enamorarse (de alguien) 23
475. tu, tus 16
476. turista *un(a)* 4
477. todo/toda 14
478. en primer lugar 24
479. inmediatamente 12
480. todo el mundo 10
481. todo el tiempo 24
482. tren *un* 12
483. tranquilamente 24
484. trabajo *un* 17
485. trabajar 2
486. muy 1
487. tercer 11
488. demasiado 19
489. encontrar 17
490. tú 3
491. sabes 21
492. matar 24
493. turco/turca 12
494. un poco 4
495. universidad *una* 20
496. vacaciones *las* (f.) 5
497. vaca *una* 24
498. vivido (p. pasado de vivir) 18
499. bicicleta (ir en) 19
500. viernes *un* 12
501. venir 7
502. verde 16
503. veterinario/veterinaria *un(a)* 17
504. carne 10
505. viejo/vieja 23
506. videoconferencia *una* 14
507. rápido 13
508. vivir 16
509. aquí tiene 1
510. ver 12
511. vecino/vecina *un(a)* 23
512. coche *un* 12
513. ladrón *un* 24
514. su, sus 16
515. querría (yo) (querer) 11
516. querer 17
517. usted 1
518. viaje *un* 12
519. viajar 18
520. verdad 9
521. verdaderamente 23
522. fin de semana *un* 12

N° de projet : 10184386

Achevé d'imprimé en Italie par Grafica Veneta

Dépôt légal: Août 2012